# 팀코드

**최고의 팀을 만들기 위한 에니어그램 전략**

# 프롤로그

이 책은 팀의 발전을 위한 계획을 세우는 것에서 시작되었다. 왜 팀의 문제는 쉽게 해결되지 않을까 하는 점이 우리들의 토론 주제가 되었다. 그리고 우리는 곧바로 결론으로 향하게 되었는데, 그것은 팀의 문제는 결국 구성원들의 문제에서 비롯된다는 것이다.

사람들은 왜 하나가 되지 못할까? 어떻게 보면 이것은 매우 당연한 현상이다. 각 사람들의 특성, 성격, 욕구, 취향이 모두 다른데 어떻게 같은 생각을 해서 항상 하나로 움직이기를 기대한단 말인가?

하지만 팀의 발전을 의뢰하는 기업에서는 효과적인 해결책을 제시해주기를 원한다. 그래서 우리는 서로 다른 개인의 특징을 이해할 수 있도록 돕는데 여러 프로그램 중에서 '에니어그램'을 선택했다. 에니어그램이 각 개인의 특징을 잘 설명한다는 장점을 가지고 있기 때문이다.

구성원들의 에니어그램 유형 검사를 진행하게 되면 어떤 특징의 사람들이 모여있는지 알 수 있게 된다. 즉, 각 팀의 코드를 알 수 있다. 실제로 여러 팀을 경험해 보면 각 팀의 특성이 다르다는 것을 알 수 있다. 그리고 그 팀의 분위기를 크게 좌우하는 것은 팀 내의 리더라는 것을 알게 된다. 리더의 에니어그램 유형을 파악해 어떻게 발전을 해 나갈 수 있을지 고민을 하는 것이 필요하다. 우리는 독자들이 빨리 자신이 속한 팀코드를 진단하기를 바란다. 또한 그 안에서 의사소통, 피드백, 갈등관리, 리더십 등은 어떻게 개발해 나갈지 그 방향을 알려주고 싶었다. 팀의 발전과 함께 자신의 발전도 만들어나가야 한다고 강조하고 싶다.

이 책은 에니어그램을 알고 있는 사람들만 읽을 수 있는 책은 아니다. 에니어그램을 처음 접하는 사람이라도 이해를 하는데 어려움이 없도록 1장에서 에니어그램의 각 유형에 대해서 설명을 했다. 이번 기회에 에니어그램이라는 프로그램에 대해서 배울 수 있는 기회가 되면 좋겠고, 더 나아가 에니어그램을 활용해 팀에서 멋진 리더로 성장하기를 응원한다.

이 책은 각 챕터를 저자들이 나눠서 쓴 것이 아니다. 모든 내용을 다 함께 작성한 것이기 때문에 통일성이 있는 내용으로 읽을 수 있을 것이다. 출간이 되기까지 모든 수고를 아끼지 않고 서로 응원을 한 우리 저자들의 노력을 독자들이 알아주는 것이 가장 큰 기쁨이다.

# CONTENTS

프롤로그

# [ 1 ] 나

## 01_ 나의 유형 파악

### 집착과 성격

### 에니어그램

### 9가지 유형

## 02_ 조직 안 9가지 유형

### 조직과 에니어그램

### 9가지 유형의 상사와 직원

# 03_ 자기계발

## 9가지 유형의 자기계발 전략

# [ 2 ] 팀

## 01_ 팀 의사소통

### 팀에서의 에니어그램

### 의사소통

# 02_ 팀 피드백

## 조직과 피드백

## 유형별 피드백

높은 기준, 규칙에 따른 맞는 말, 상대를 비판하는 피드백

구체적이고 세부적, 비판이 아닌 개선에 집중, 칭찬을 한 후에 비판, 해결책을 제시

좋은 관계 유지, 상대에게 감사, 다른 사람의 필요에 대한 고려

인정하기, 주변 사람들을 도울 계획 세우기, 자기 관리를 할 수 있도록 하기

목표와 결과 중심, 행동을 직접적으로 요구, 효율성, 적응성과 유연성

성취 인정, 명확한 목표 제시, 성취와 과정의 균형 강조

풍부한 감성 표현, 조직에서 원하지 않는 개성 인정, 예술성 인정, 예민함, 더 깊은 의미 찾기

개성을 인정하기, 판단하지 않는 공간 만들기, 자존감 높여 주기

분석적인 내용 전달, 정확한 정보 전달, 프라이버스 존중

깊이 있는 지식 인정하기, 프라이버시 존중, 근거 제공, 반영할 시간 허용

신중함, 검증을 통한 위험 대비, 타인의 지도를 구함, 신뢰도와 충성도의 중요성

안정적인 분위기 만들기, 긍정적인 면 먼저 전달하기, 명확한 지침 전달, 자원과 협업 제공, 우려 해결하기

## 03_ 팀 갈등관리

### 갈등과 불건강한 상태

### 유형별 갈등 상황

# 04_ 리더십

## 리더십 스타일

## 9가지 유형별 리더십

지나친 완벽주의 내려놓기, 불완전함 받아들이기, 유연성 키우기, 책임과 권한 위임하기, 비판 줄이기, 올바른 것만 고집하지 않기

공과 사 구별하기, 타인을 위한 행동으로 자기평가 하지 않기, 일을 다 떠안지 않기, 사람이 아닌 일중심으로 바라보기, 거절의 기술 사용하기

성공에 대한 집착과 타인의 인정 내려놓기, 실패 경험을 중요하게 받아들이기, 진실된 관계 구축하기, 경쟁보다 협력하기

감정에 깊게 빠지지 않기, 긍정적인 것에 초점 맞추기, 육하원칙과 수치 이용하기, 획일적인 것 감당하기

# 05_ 일하는 방식

## 유형별 일하는 스타일

# 06_ 요즘 세대

## 세대 차이

[ 1 ]

나

# 01_
# 나의 유형 파악

# 집착과 성격

## 사람은 사회의 구성원으로 살아간다

우리 모두는 다른 사람들과 함께 사회 안에서 인간관계를 맺으며 살아간다. 나와 다른 사람들을 만나 다양한 관계를 맺게 되는데 그중에는 잘 맞는 사람도 있지만 정반대의 사람도 있다. 나의 의지와 상관없이 만나는 사람의 영향에 의해서 이직을 결심하게 되기도 한다. 이럴 때 우리는 '나는 도대체 어떤 유형의 사람일까?' 고민을 하게 된다.

자신에 대한 이해가 부족하면 진로를 선택하거나 경력을 개발할 때 합리적인 의사 결정을 하는 것이 힘들어진다. 반대로 자신에 대한 이해가 있을 때는 혼자 하는 일에 대한 성과뿐만 아니라 대인관계에 있어서도 성공적인 결과를 만드는 것이 유리하게 된다. 사회생활을 하면 할수록 '지피지기면 백전백승'이라는 표현이 더욱 진리라는 생각이 들지 않는가. 자신에 대한 진정한 이해는 자신의 삶을 주체적이고 창조적으로 경영할 수 있게 해준다. 자기성장을 이루기 위해서는 반드시 자기 이해가 필요하며, 이때 에니어그램과 같은 도구가 큰 도움이 된다.

## 에니어그램을 통한 지피지기

에니어그램은 인간에 대한 깊이 있는 이해와 통찰, 변화와 성장에 큰 도움을 준다. 에니어그램의 시작은 고대의 영적 지혜에 그 뿌리를 두고 있다. 이후 현대 심리학의 내용이 더해졌으며, 전문가들의 많은 연구와 임상을 통해 발전되었다. 오늘날에는 기업·채용·상담·코칭·교육·심리학 등 다양한 분야에서 에니어그램을 활용하고 있다. 에니어그램을 활용해 개인의 성장·자기계발·대인관계·갈등관리·기업의 경영 효율성 제고·리더십·팀의 구성 등에 좋은 해결책을 찾아보자.

## 자기 이해를 돕는 도구들

에니어그램 외에도 사람의 특징을 알 수 있도록 돕는 여러 가지

도구가 있다. 대중적으로 알려진 MBTI도 그런 도구 중 하나라고 할 수 있다. 에니어그램이 다른 도구들과 다른 점은 사람의 내면을 단지 성격으로 분류하는 것에서 그치지 않는다는 것이다. 분류해놓은 유형들 중에서 각 사람들이 어디에 속하는지 확인하는 것으로 끝나지 않는다. 에니어그램은 결론을 맺을 때 '서로의 유형이 다르니 이해를 해야 한다'고 말하는 것으로 결론을 내리지 않는다. 물론 그런 내용도 중요하고 당연히 포함하지만, 각자 자신의 성격에서 벗어나 더 성숙한 사람이 되어야 한다는 것까지 말한다. 이 책은 에니어그램의 전체 내용 중에서 특히 '팀'에 대한 내용에 초점을 두고 설명을 한다. 또한 팀 내에서는 어떻게 사람을 바라봐야 더 효과적인 팀 결과를 만들어 낼 수 있을지 그 해결책을 안내한다.

## 팀워크

우리 모두는 하나 이상의 팀에 속해 살아가게 된다. 팀이라고 하니 회사만 생각할 수 있지만 꼭 그런 것은 아니다. 누구나 가족이라는 팀에 속하게 되고, 이후에는 어린이집과 유치원, 초·중·고등학교라는 팀에 속하게 된다. 새로운 팀에 속하게 되면 처음에는 누구나 긴장을 하게 된다. 팀 안에서 누구는 적극적으로 활동을 하지만 또 다른 누구는 소극적으로 행동을 한다. 팀에 속한 사람들은 각양

각색의 모습을 보여주는데 각자 자신의 입장에서 바라보며 행동하게 된다. 당신이 느끼기에 지금 속한 팀에 이상한 사람이 없다고 생각된다면 그것은 천운을 타고 난 것이다. 그런 행운은 앞으로도 쉽게 오지 않으니 지금의 팀에 대해서 감사함을 느끼자.

소속되는 팀마다 시간이 지나면 이상한 사람들이 있다는 것을 발견하게 된다. 그런데 내가 이상하다고 생각하는 그 사람도 나를 이상하다고 평가할 수 있다. 내가 평가하는 '이상하다'고 말하는 기준은 무엇일까? 그 기준을 알게 된다면 '이상함'은 '다름'으로 바뀌게 된다.(다름을 말하는 것도 이제는 진부하다.) '다름을 인정하자'는 말은 그리 좋은 표현이 아닐 수도 있다. 더 적절한 표현으로 '다름이 무엇인지 알자'라고 말하고 싶다. 서로 어떻게 다른지 모르는데 그냥 마음을 먹는다고 상대를 인정하게 될까? 인정을 하려면 그 다름이 어떤지를 알아야 한다. 에니어그램은 그런 점에서 매우 중요한 개념인 '집착'을 깊이 있게 알려준다. 각 유형의 사람들이 고집하는 집착이 있는데, 팀 안에서 여러 가지 모습으로 갈등을 유발하게 된다. 이 집착은 강점으로 작용해 배워야 할 리더십으로 말하기도 하지만, 때로는 약점으로 드러나 고쳐야 할 단점으로 지적되기도 한다. 여기에 에니어그램이 팀워크의 개선에 얼마나 큰 효과가 있는지 기대감을 갖도록 만든다.

## 집착과 성격

　에니어그램은 성격을 설명할 때 집착의 관점에서 보는 것을 중요하게 여기며, 그 집착의 종류를 총 9가지로 본다. 이 9개의 집착이 9가지의 성격을 형성하게 된다. 성격은 겉으로 보여지는 것이지만 그 이면에는 근본적인 동기라고 할 수 있는 집착이 있다. 각 사람마다 특정 성격을 고집하는 이유는 특별히 더 고집하는 집착이 있기 때문이다. 이런 점에서 에니어그램은 성격이라는 것을 더 깊게 들여다볼 수 있는 방법을 제시한다. 이쯤되면 나 자신은 어떤 집착을 가지고 있는지 확인하고 싶은 마음이 생길 것이다.


## 내려놓기

　신약성경의 '야고보서'에 보면 다음과 같은 글이 나온다.

　욕심이 잉태한즉 죄를 낳고 죄가 장성한즉 사망을 낳느니라 약1:15

　기독교인이 아니더라도 위의 내용에 대해서는 공감을 할 것이다. 우리는 욕심 때문에 사람으로서 하면 안 되는 일을 저지른 사건을 뉴스에서 종종 보게 된다. 많은 사람들이 인생을 살면서 욕심을 내려놓는 것이 얼마나 중요한지 깨닫게 된다. 도박을 하는 사람들이 그 욕심을 중단하지 못하면 자신의 인생뿐만 아니라 가족과 지인의 삶까지 망치게 된다.

내려놓아야 할 것은 물질적인 욕심뿐만 아니라 성격적인 욕심도 있다는 것을 꼭 명심해야 한다. 예를 들어 '나는 강해야 해. 그래야 살아남을 수 있어.'라는 집착을 가지고 있는 사람이 있다고 하자. 이 사람은 이 집착 때문에 누군가를 만났을 때 공격적인 모습을 보인다. 힘에 집착한 나머지 상대에 맞서려고 한다. 이런 태도는 누구를 만나더라도 동일하게 발생할 것이다. 물론 강해야 살아남을 수 있다는 말도 어느 정도는 맞다. 하지만 모든 상황에서 그래야 하는 것은 아니다.

강해야 한다는 집착을 내려놓으면 다른 사람을 위협할 이유도 사라지게 된다. 이제는 자신의 약한 모습도 상대에게 공유할 수 있으며 위로도 받을 수 있게 된다. 드디어 상대와 친해질 수 있는 길이 열리는 것이다. 하지만 이 집착을 가지고 있는 사람이 쉽게 내려놓겠는가? 그럴리 없다. 우연히 주변 사람들에게 자신의 강한 모습을 보여주는 것을 깜박한다면 자신이 큰 실수를 한 것으로 생각해 분노를 할 수 있다. 이런 사람들이 책을 쓴다면 '절대로 약한 모습을 보이지 않기'라는 주제의 책을 쓸 것이다. 하루라도 빨리 이 집착을 내려놓는 것이 필요하다. 에니어그램은 이런 식의 집착을 9가지로 분류한다. 지금 이 책을 읽는 독자는 자신의 집착을 내려놓을 준비를 하는 것이 반드시 필요하다.

# 에니어그램

## 9개의 점으로 이루어진 그림

에니어그램은 '9개의 점으로 이루어진 그림'이라는 뜻으로, 그리스어 '에니어(Ennea, 9)'와 '그램(Grammos, 모형)'의 합성어다. 아래 그림은 에니어그램의 상징이라고 할 수 있는데, 9개의 점과 선을 연결한 것이며 에니어그램 그 자체의 의미를 담고 있는데,

인간의 9가지 성격유형과 그 유형들의 연관성을 표현한 것이다.

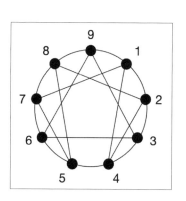

이 상징체계는 인간이 9가지 성격유형 중 하나를 택해 세상을 살아간다는 것을 알려주며, 사람마다 삶의 방식이 다르다는 것을 보여준다. 더 나아가 성격을 뛰어

넘어 인간의 본질로 나아갈 수 있다는 내용 또한 담고 있다는 것을 알게 될 것이다.


## 에니어그램에서 자신의 성격유형을 찾는 방법

에니어그램으로 자신의 성격유형을 찾기 위해서는 외적으로 관찰 가능한 특징뿐만 아니라 내면을 깊이 들여다보면서 내면의 동기와 집착을 알아차리는 것이 필요하다. 외적으로 관찰할 수 있는 행동이 같더라도 내면의 동기와 집착은 사람마다 다를 수 있기 때문이다. 또한 명심해야 할 것은, 특정 유형이 다른 유형들보다 더 우월하거나 열등하지 않다는 것이다.

'열 길 물 속은 알아도 한 길 사람 속은 모른다'

자신의 속 마음을 가장 잘 아는 것은 바로 자신이기에 자신의 성격유형은 반드시 자신이 찾아야 한다. 자신만이 내면의 동기와 집착을 인식할 수 있기 때문에, 자신의 장점과 약점을 솔직하게 바라보는 용기가 필요하다. 그렇지 않으면 자신의 성격유형을 정확하게 찾을 수 없게 된다. 이러한 과정을 통해 먼저 자신에 대한 이해와 통찰을 하고, 이후에는 타인에 대해서도 깊이 있게 이해할 수 있게 될 것이다.

## 타인의 성격에 대해서 말하는 것

에니어그램처럼 사람이 가진 내면의 동기와 집착을 인식하는데 도움을 제공하는 프로그램은 그리 많지 않다. 이렇게 중요한 에니어그램 공부에 한 가지 명심할 것이 있다고 말씀드리고 싶다. 다른 사람들의 유형을 판별하고 그것에 대해서 이야기할 때는 각별히 신중해야 한다는 점이다. 겉으로 드러난 말과 행동으로 다른 사람의 내적 동기와 집착을 섣불리 판단해서는 안 된다. 정확한 판단이 되지 않은 상태에서 타인의 성격에 대해 단정하는 것은 큰 오해와 갈등을 가져오게 된다. 반드시 알아야 할 것은 1번 유형부터 9번 유형까지 그 어떤 유형도 더 우월하거나 열등하지 않다는 것이다. 그러니 내 번호가 더 좋다는 식의 말은 매우 부적절하며 위험한 발언이다. 개인의 성격은 그 자체로 존중되어야 하며, 동일한 성격이라도 매우 넓은 범위의 스펙트럼을 보여줄 수 있다는 것을 기억하자.

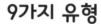

# 9가지 유형

## 1번 유형
{완벽을 추구하는 사람}

| 집착 | 완벽, 옳음 |
|------|-----------|
| 두려움 | 악하고 결함이 있는 것 |
| 회피 | 분노하는 것 |
| 장점 | 근면성실, 원칙을 지키는 일관성, 도덕적이고 윤리적인 모습, 강한 책임감, 이성적이고 객관적인 모습 |
| 약점 | 타인을 평가하고 지적하는 것, 완고한 모습, 부족한 융통성 |

## 나는 완벽한 사람이다

나는 어떤 일을 하든지 그 일을 완벽하게 처리한다. 나 자신뿐 아니라 타인에 대해서도 높은 기준과 기대치를 가지고 있다. 나는 완벽함을 추구하기 때문에 아주 세부적인 것까지 신경을 쓴다. 준비를 철저하게 하는 것은 기본이고 마감이 되는 순간까지 최선을 다한다. 실수를 하는 것은 용납되지 않는다. 그래서 나의 몸가짐이나 행동은 지나칠 정도로 자유롭지 않다. 이 때문에 몸과 마음은 늘 긴장되어 있다. 마음을 놓고 휴식을 취하는 것이 쉽지 않을 뿐만 아니라 그것이 잘못된 행동이라고 생각하기도 한다. 사람들은 나에게 '모범생', '바른 생활을 하는 사람'이라는 이야기를 한다.

나는 '일을 대충하는 사람', '무책임한 사람', '원칙을 지키지 않는 사람'을 보면 화가 치밀어 오르지만 최대한 억눌러 참으려고 한다.


## 나는 올바른 사람이다

올바른 사람이 되는 것은 완벽하게 되는 것 중의 하나이다. 잘못된 것을 보면 그것을 바로잡고 싶은 의무감과 책임감을 느끼게 된다. 반드시 그것을 고쳐야 직성이 풀린다. 그래서 1번 유형인 나를 사람들은 '개혁가' 또는 '이상주의자'라고 부르기도 한다. 이런 내가 올바르지 않은 행동을 하는 것은 있을 수 없는 일이다. 난 항상 사회 규범, 시간 약속 등을 잘 지킨다.

세상에 완벽한 것은 없고 절대적인 가치관도 없다고 말을 하는 사람들이 있지만 난 이것을 거부한다. 그렇게 말하는 사람을 안 좋게 생각하는데 그 이유는 올바르지 않은 판단이기 때문이다.

나의 이런 기준에 대해서 사람들은 불편함을 느낀다. 나는 개선하려는 의도이지만 사람들은 통제를 받는 것으로 받아들인다. 사람들은 나에게 융통성이 필요하다고 말을 하는데 나는 그 선을 허무는 것이 쉽지 않다. 이런 이유로 사람들은 나를 고집쟁이라고 말한다.

## 나는 급격한 감정 변화를 보인다

나를 보고 '감정 변화'가 별로 없다고 생각하는 사람들이 많다. 평소의 모습은 그럴 수 있지만 종종 급격한 변화를 보일 때가 확실히 있다. 난 내가 열심히 노력하는 것처럼 남들도 동일하게 노력해야 한다고 생각한다. 그렇지 않은 사람에 대해서는 비판적인 태도를 갖게 된다. 내 안의 분노를 수시로 억압해야 하며, 타인에 대한 불만과 부정적 감정은 점점 커지기 시작한다. 당연히 주변 사람들이 불편함을 느낀다.

## 나는 극단적이다

내가 원하는 이상적인 모습을 실현하기 위해서 매우 급진적이고 과격한 방법을 사용할 때가 있는데 그 외에 뾰족한 수가 없어 보이기 때문이다. 어떤 결정을 할 때 이분법적인 선택을 하게 될 때가 많다. 다른 사람들이 보기에는 너무 극단적이며 융통성도 없다고 말한다. 하지만 난 휘둘리지 않는 단호한 모습을 유지한다. 왜냐하면 내가 세운 기준을 지키기 위해서는 모든 사람들의 의견을 다 수용해서는 안 되기 때문이다. 지금까지 내가 만들어 온 것들을 보면 고집스러운 극단적 결정이 한몫했다고 생각한다.

## '해야만 한다'는 말을 많이 한다

옳고 그름을 따지는 것은 나에게 매우 중요하다. 그래서 난 질서·일관성·시간 엄수·깔끔함·자기통제·자기구속이라는 표현과 가장 가까운 삶을 살고 있다. 나에게는 '하고 싶은 것들'보다는 '해야만 하는 것들'이 더 중요하며, 그런 스케줄을 감당하고 있다. 나는 다른 사람들에게 '~를 해야 해'라는 말을 잘 한다.

## 2번 유형
{도움을 주는 사람}

| 집착 | 사랑, 돌봄 |
|------|-----------|
| 두려움 | 사랑을 받지 못하는 것 |
| 회피 | 나의 욕구를 채우는 것 |

| 장점 | 친절하고 배려심이 있는 모습, 열정적으로 봉사, 친밀하고 사교적, 타인을 살핌 |
|------|--------------------------------------------------------------------------|
| 약점 | 소유욕, 감정적인 모습, 직접적으로 표현하지 못함 |

## 나는 필요한 사람이다

나는 다른 사람들을 잘 돕는다. 나는 타인의 사랑을 받는 것이 중요한데, 주변 사람들을 도와줌으로 나 자신이 타인에게 필요한 존재라는 것을 확인할 수 있다. 누가 나를 도와주는 것보다 내가 타인을 돌보고 그들의 필요를 채울 때 더 만족스럽다. 그래서 다른 사람들이 필요로 하는 것들을 민감하게 살핀다. 누가 나에게 어떤 부탁을 하면 난 거절하지 못한다. 심지어 도움 요청을 받지 않은 일도 나서서 도와준다.

모든 사람들과 좋은 관계를 유지하기 위해서 노력을 한다. 당장 내 일이 급한데도 다른 사람의 부탁을 먼저 들어줄 때가 있다. 왜냐하면 '도와줘서 고마워', '마음이 참 이뻐', '사랑이 넘치는 사람이야', '참 친절한 사람이야'라는 말을 들을 수 있기 때문이다. 가끔 나의 헌신을 당연하게 생각하는 사람을 만날 때도 있다. 그럴 땐 나의 노력이 제대로 보답받지 못한다는 생각이 들어 서운해진다.

## 나는 사교적이다

나는 타인의 필요를 살피기 때문에 그 사람에게 먼저 말을 걸게 된다. 그가 도움을 필요로 한다면 난 기꺼이 나서서 도와준다. 나의 모습은 매우 사교적일 수밖에 없다. 상대가 먼저 나에게 말을 걸어 올 때도 마찬가지다. 그가 무엇을 필요로 하는지 살펴야 하기 때문에 지금 내가 하고 있는 일을 중단하고 그의 말을 경청한다. 나의 생각은 온통 타인에게 집중되어 있어 관심을 유지하고 있는 주변 사람들이 항상 많은 편이다.

## 나는 다른 사람 중심적이다

나는 본능적으로 타인에게 초점을 맞춘다. 이상하게 들린다고 말하는 사람도 있겠지만 나에게 도와줄 타인이 없다면 나 자신도 없다고 생각한다. 이런 특징 때문에 나는 항상 다른 사람들의 상태를 살피고 눈치를 보게 된다. 때로는 뜬금없이 작은 선물을 누군가에게 건네기도 한다. 사람들은 나에게 '아낌없이 주는 나무'와 같다고 칭찬에 비판도 섞어 평가한다. 왜냐하면 자기 실속을 차리지 못하기 때문이다.

## 나는 소유욕이 있다

다른 사람들을 과하게 돕다 보면 '준 것'과 '받은 것'에 대한 불균형이 존재하게 된다. 사랑을 받고 있다는 것을 확인하기 위해서 타인을 도왔지만 이런 불균형으로 사랑 받고자 하는 집착에 문제가 발생하게 된다. 이럴 때 나는 다른 사람 중심적인 모습을 더 강화해 내 사람이라고 생각되는 대상을 정해 더 집중한다. 이 모습은 특정인에 대한 강한 소유욕으로 나타난다. 그 대상에게 '너만은 다른 사람들보다 나에게 더 많이 돌려줘야 해'라는 메시지를 강하게 전하게 되는데 특히 누군가를 사랑할 때 이런 모습이 더욱 심하게 나타난다. 봉사자인 내가 스토커로 변신하는 이유다.


## 나는 서운함을 잘 느낀다

난 다른 사람들을 돕는데 그들은 나만큼 나를 도와주지 않는 것 같다. 나의 도움에 대해서 고마움을 느끼는지 잘 모를 때가 많다. 남을 도우면 도울 수록 서운한 감정은 더 많이 쌓이게 된다.

난 고맙다고 반응을 보여주는 사람이 좋다. 이런 사람들을 많이 만나고 싶다. 그런데 나를 이용하려고 하는 사람들을 만나게 될 때도 있다. 그들의 요구를 거절해야 하는데 그렇지 못해 피해를 입을 때도 있다. 도움을 원하지 않는 사람들을 만날 때 서운함은 더욱 커져간다.

## 3번 유형
{성공지향적인 사람}

| | |
|---|---|
| 집착 | 성공, 성취 |
| 두려움 | 가치가 없는 사람이 되는 것 |
| 회피 | 실패를 하는 것 |
| 장점 | 실용적이고 효율적인 면, 뛰어난 적응력, 추진력 |
| 약점 | 경쟁적인 모습, 일 중독적인 면, 성과중심의 가치관 |

## 나는 성공을 원한다

나에게는 '성공하는 것'과 '성취하는 것'이 매우 중요하다. 나는 성공·성취·최고라는 단어에 강한 매력을 느낀다. 그래서 어떤 목표가 주어지면 반드시 이루어낸다. 성취를 하여 성공하는 것은 나의 존재와 가치를 만드는 방법이다.

나는 성공을 해야 인정을 받을 수 있고, 그것은 성과가 있어야만 가능하다. 난 실제로 많은 것을 성취해 나가고 있다. 이런 모습을 보고 주변에서는 "실력자입니다", "존경합니다"라고 말을 하기도 한다. 성과지향적인 삶을 살다 보니 실제로 사회적·경제적으로 발전한 삶을 살고 있다. 하지만 혹자는 이런 나의 모습에 대해서 좋지 않게 보기도 한다. 그들은 인생의 목표가 성공이 아니라고 말을 하는데, 난 그들이 왜 성공을 하지 못하는지 알 것 같다.

## 나는 일중심적이다

나는 목표를 달성하기 위해 일중독자처럼 일을 한다. 그래서 항상 바쁘다. 상대적으로 주변을 돌보지 못하며, 그것이 그렇게 중요하다고 생각하지 않는다. 다른 사람들을 위해서 내 귀한 시간을 사용하는 것이 아깝기도 하다. 하루 동안 사용할 수 있는 시간이 정해져 있는데 나의 성공에 도움이 되지 않는 일에 내 시간을 쓰는 것은 무의미하다고 생각한다. 나에게 시간은 성공과 매우 관련되어 있다. 성공을 위한 기회로 만들 수 있는 시간을 허투루 사용해서는 안 된다고 생각한다.


## 사회가 나를 인정하는 것이 중요하다

내가 생각하는 성공은, 사회가 나를 인정을 하는 성공이다. 내가 성공의 기준을 정하고 자족하는 것이 아닌, 사회적으로 봤을 때 누구나 인정할 수 있는 성공의 모습이어야 한다. 그것은 당연히 '부'와 관련되어 있다. 돈이 많은 사람을 사회는 가볍게 보지 않는다. 소박한 꿈에 만족하는 사람과 알고 지내고 싶지 않다. 더욱이 게으르거나 노력하지 않는 사람은 더욱 그렇다. 그런 사람들은 능력이 부족하고 성공할 가능성이 매우 낮다. 난 성공하는데 도움이 되는 사람을 만날 것이다.

## 나는 감정적이지 않다

　성공을 위해서 달려갈 때는 감정을 내려놓아야 한다. 감정을 살피게 되면 성공을 할 수 없다. 난 오로지 성공이라는 목표를 향해 달려가는데 이때 감정은 제쳐둔 채 직진을 한다. 왜냐하면 감정적이게 되면 내가 힘든 것과 타인이 힘든 것을 그냥 지나칠 수 없게 되기 때문이다. 감정을 중요하지 않게 여기다 보니 매몰차게 행동을 할 때가 많다. 하지만 감정에 집중하는 순간 모든 것이 한꺼번에 무너져버릴 것 같다.


## 나는 나의 실패를 감춘다

　내가 가장 원하는 것은 '성공'이기 때문에 가장 두려운 것은 '실패'다. 난 성공을 위해서 열심히 달린다. 그런데 노력을 한다고 무조건 성공이 보장되는 것은 아니다. 아무리 노력을 해도 사회적으로 인정을 하는 성공을 하지 못하게 된다면 난 실패한 사람이 되는 것이다. 그것은 내가 가장 피하고 싶은 모습이기 때문에 할 수만 있다면 나의 실패를 감추기 위해서 노력한다. 나는 굳이 다른 사람들에게 나의 실패를 이야기하거나 보여주고 싶은 마음이 없다. 그보다는 내가 가진 좋은 것들, 잘한 것들을 이야기한다. 자기과시와 자랑의 모습이 많은 이유도 이 때문이다.

## 4번 유형

{특별함을 원하는 사람}

| 집착 | 독특함, 특별함 |
|---|---|
| 두려움 | 자신만의 정체성이 없는 것 |
| 회피 | 평범해지는 것 |
| 장점 | 창의성, 독특한 표현력, 심미적인 것 추구, 예술적인 면 |
| 약점 | 심한 감정 변화, 싫증을 잘 냄, 민감한 반응, 질투, 자기비하 |

## 나는 특별해야 한다

나는 나만의 차별화된 고유함을 가지고 있다. 나만의 특별한 점이 없다면 그것은 정체성이 없는 것과도 같다. 난 자신에 대해서 매우 관심이 많다. 감수성이 예민해서 나의 욕구·생각·감정을 잘 인식한다. 이런 모습에 대해서 사람들은 나를 '몽상가' 또는 '예술가'라고 말한다. 하지만 난 그저 나의 개성을 갖고 있는 것뿐이며, 그런 취향은 존중받아야 한다고 생각한다. 하지만 나의 이런 모습을 이해하지 못하는 사람들이 많다. 난 사회 또는 타인이 인정하는 것에 관심이 없다. 내가 인정하고 느낄 수 있는 나 자신만의 모습이기를 바랄 뿐이다.

## 나는 나의 존재를 인정받고 싶다

누구나 인정받고 싶은 욕구는 있지만 난 다른 사람들과는 다른 인정의 욕구를 가지고 있다. 3번 유형처럼 사회적으로 다수에게 인정받기 원하는 것이 아니라 그저 나 자신의 존재나 선호를 알아봐 주기 원할 뿐이다. 그런데 사람들은 내가 원하는 인정을 받아들이기 힘들어한다. 남들과는 다른 패션과 취향을 추구하는 비현실적인 낭만파이지만 사람들은 이런 나를 이해하기 힘들다고 말하며, 결국 나는 고립될 때가 많다.


## 나는 감정적이다

나는 정서적으로 민감하고 섬세하다. 심미적인 분위기를 좋아하며, 깊은 감동을 통해 강렬한 감정을 느끼고 싶다. 나는 아름다움을 상징적으로 표현하는 것을 좋아하기 때문에 다양한 예술적 표현이 가능하다.

나는 모든 사람들이 나처럼 감정적이지 않다는 것을 알고 있으며, 그들이 나를 이해하지 못할 때가 많다는 것도 알고 있다. 난 이럴 때 분노·외로움·슬픔 등 다양한 감정을 느끼게 되는데, 이 감정이 일시적으로 머물다 지나가는 것이 아니라 한동안 나를 사로잡는다. 하지만 나는 이런 우울하고 슬픈 감정을 즐긴다. 나의 이런 낭만적인 감정을 사람들은 거부하려고 한다.

## 나는 감정 기복이 있다

나는 감정 기복이 있다. 감정 기복이 나타나면 나의 모든 장점들이 함께 저평가되기도 한다. 왜냐하면 갑자기 감정의 변화를 보이며 주변 사람들을 힘들게 만들기 때문이다. 이때는 사소한 것도 매우 개인적으로 받아들여 상처를 쉽게 받는다. 이런 상태가 더 악화되면 고립과 우울에 휩싸여 빠져나오지 못하게 된다. 주변에서는 이유를 찾고자 하지만 특별한 이유가 있는 것이 아니다. 난 자신을 비하하고 존재가치를 평가절하하는 모습도 있으며, 현실로부터 도피해 나 스스로를 파괴하기도 한다.

## 나는 평범한 것을 견디지 못한다

나는 평범한 것을 견디지 못해 조직생활에 잘 적응하지 못한다. 물론 때로는 다 함께 동일한 것을 선택해야 한다는 것을 알고 있다. 그런데 난 그런 결정을 하는 것이 싫다. 그런 선택은 나라는 사람이 없어져 버리는 것과 같다. 사람들은 유행을 하는 옷이 있다면 열정적으로 그것을 구입하지만 난 각자의 개성이 사라지는 그런 선택을 왜 하는지 이해가 되지 않는다. 명품 가방도 마찬가지다. 비싼 것, 좋은 것을 자랑하고 싶은 욕구는 알겠지만, 그 역시 이미 많은 사람들이 들고 다니니 정체성 표현이 제대로 되지 않는 선택이라고 생각한다.

## 5번 유형

{지식을 추구하는 사람}

| 집착 | 앎, 관찰, 분석 |
|------|------|
| 두려움 | 무능하게 되는 것 |
| 회피 | 내적으로 공허해지는 것 |
| 장점 | 분석력과 관찰력, 객관적인 판단, 의존적이지 않은 독립성 |
| 악점 | 냉정함, 소홀한 인간관계, 행동력 부족, 생각을 드러내지 않음 |

## 나는 알고 싶다

나에게는 '아는 것'과 '이해하는 것'이 무엇보다 중요하다. 이런 과정 없이 명령만 내린다면 나는 행동으로 옮기는 것이 어렵다. 나는 알기 위해 정보를 수집해야 하며 분석을 할 시간이 필요하다. 당연히 혼자만의 시간과 공간 또한 반드시 필요하다. 나는 이런 과정을 충분히 거친 후에 행동으로 옮길 수 있는 사람이다.

## 나는 그 원리까지 알아야 한다

내가 알고 싶은 정보의 깊이는 어디까지일까? 단순히 '그렇다고 하더라'라는 정확성이 매우 결여된 정보에는 관심이 없다. 알고 싶은 것이 기계라면 사용 방법뿐만 아니라 작동 원리까지도 알아야 한다. 그래서 사람들은 나를 '관찰자' 또는 '분석가'라고 부른다.

나는 어떤 문제가 발생하면 그 문제가 왜 발생하게 되었는지 그 이유를 분석한 다음 그 해결책을 찾아 이야기를 한다. 그런데 사람들은 나의 이야기에 집중하지 않는 모습을 보이며, 자세하게 말하고 있는 나는 기운이 빠지지 않을 수 없다. 또한 사람들은 나의 설명을 어려워한다. 이것은 서로 간의 지적 수준이 맞지 않기 때문이다. 사람들은 정확하지도 않은 이야기를 단순히 공감이 된다고 좋아하는데 난 그런 행동을 이해할 수 없다.


## 나는 비판적이다

나는 원리를 분석하는 것이 반드시 필요하다. 분석을 하는 과정 중에 문제가 무엇인지 발견하게 된다. 발견한 문제점을 주변 사람들에게 알려주려고 이야기하는데 그들은 나의 정보를 비판으로 받아들인다. '커피'를 예로 들어보겠다. 대부분의 사람들은 그저 커피의 맛과 향을 즐기기 위해 쉽게 선택하지만, 난 커피라는 음료를 분석한 후에 마시는 것을 결정한다. 원두·로스팅·추출 방법·추출 성분 등의 정보를 수집해 분석해보니 성분에서 발암물질이 검출된다는 것을 알게 된다. 내가 이 정보를 전달하면 대부분의 사람들은 커피를 발암물질이라고 말하는 나의 말을 거부한다. 그래서 나는 점점 말을 아끼게 된다. 종종 나의 전문적인 이야기를 좋아하는 사람들을 만나게 될 때가 있는데, 그때는 과묵했던 나도 매우 많은 말을 쏟아놓게 된다. 난 논쟁을 하려는 것이 아니라 정확한 정보를 알려주고자 한 것이다.


## 나는 개인적인 이야기에는 관심이 없다

지식과 정보를 쌓는 것이 생활화되어 자연스럽게 미래를 예측하고 대비하게 되며, 개인적인 이야기에는 그리 관심을 보이지 않는다. '누가 어떻대!', '누구 때문에 힘들대!' 라는 이야기는 나의 관심사에서 멀어진지 오래다. 누군가가 나에게 사적인 내용을 묻는다면 나는 불편함을 느끼며 그것에 대해 답변할 이유를 찾지 못한다. 심지어 그런 사람과 함께 대화를 나누고 싶지 않다. 왜냐하면 그 사람은 미래를 위한 것에 대해서는 관심이 없고, 오로지 현실에 얽매여 있기 때문이다. 나는 다른 사람들의 사적인 이야기에도 관심이 없지만, 나의 사생활을 공개하는 것에 대해서도 기피하고 거리를 둔다.

## 6번 유형

{안전을 추구하는 사람}

| | |
|---|---|
| 집착 | 안전, 확실함 |
| 두려움 | 지원과 안내가 없는 것 |
| 회피 | 일탈을 하는 것, 불확실한 것 |
| 장점 | 책임감, 성실함, 협동을 하는 모습, 충실한 면, 헌신적인 모습 |
| 약점 | 부정적, 지나친 경계심, 걱정이 많은 모습 |

## 나는 안전하고 싶다

나에게는 무엇보다 '안전'이 중요하다. 이 세상은 불확실하고 애매모호하며 안전하지 않기 때문이다. 나는 새로운 일을 시작하게 될 때 많은 불안감을 느낀다. 그래서 사전에 확실하게 정해진 것인지 확인을 한다. 그렇지 않으면 안전하지 않은 것으로 여겨 불안감이 점점 커지게 된다.

나는 최악의 상황을 먼저 생각한다. 나와 반대로 생각하는 사람이 있는데, 그들은 확실한 것이 준비되지 않더라도 큰 걱정이 없는 모습을 보인다. 나는 걱정이 없는 그들을 이해할 수 없다.

나는 모든 상황을 예측할 수 있어야 마음이 놓인다. 사람들은 나의 이런 모습을 보고 의심이 많은 것으로 바라본다. 하지만 난 최대한 안전한 것인지 확인하고 싶은 것이다.

## 나는 충실한 사람이다

나는 이 사회가 생존하기에 매우 불안한 상태라고 느낀다. 어떤 조직에 소속되거나 어떤 신념을 신봉하는 것은 나에게 중요한 일이다. 이것은 내가 소속되어 있는 조직과 신념에 매우 충실한 모습으로 나타난다. 나는 항상 안전한 것들을 찾고 충실한 자세를 취하려고 한다.

## 나는 불안감을 많이 느낀다

나의 불안감은 끊이지 않기 때문에 결정하는 것과 책임을 맡는 것은 매우 어려운 일이다. 나의 이런 모습에 대해서 함께 일하는 주변 사람들은 답답해한다. 특히 결단력과 책임감이 강한 사람은 나의 행동을 절대로 이해하지 못한다. 자주 나에게 훈계를 하지만 나의 불안감은 전혀 사라지지 않는다.

## 나는 질문이 많다

내가 결정을 잘 하지 못하는 이유는 나 자신을 믿지 못하기 때문이다. 그래서 계속 주변 사람들에게 묻는 과정을 거친다. 하지만 여러 사람들에게 묻고 난 뒤에도 그 의견을 잘 반영하지 않는다. 여전히 또 다른 사람들에게 동일한 질문을 계속적으로 하게 된다. 반영을 하기 위해서 질문을 하는 것보다는 나의 불안감 해소를 위한 형식적인 질문인 것이다.

## 7번 유형
**{재미를 추구하는 사람}**

| 집착 | 멋진 계획, 재미 |
|---|---|
| 두려움 | 고통스러워지는 것 |
| 회피 | 고통스러운 일, 심각한 상황 |
| 장점 | 재미 있음, 에너지가 넘침, 낙천적, 호기심이 많음, 자유로움 |
| 약점 | 충동적으로 결정, 산만한 모습, 인내심과 자제력 부족 |

## 나는 즐거워야 한다

나는 나를 '즐거운 사람'이라고 생각한다. 내 일상은 늘 새롭고 재미있는 계획으로 가득 차 있다. 호기심도 많기 때문에 한 가지 일을 꾸준히 하기보다는 흥미를 끄는 새롭고 다양한 것들에 쉽게 관심을 돌린다. 이런 욕구는 다양한 경험을 하는 것으로 이어져 나의 일상은 항상 왕성한 활동으로 바쁘다. 혹자는 바빠서 힘들지 않냐고 묻지만 나에게는 바쁜 활동이 즐거움 그 자체다. 난 즐겁지 않은 일은 선택하지 않는다.


## 나는 심각해지는 것을 회피한다

인생 가운데 어떻게 즐거운 일만 있겠는가. 하지만 나는 실망스러운 일이 발생하면 그것을 제대로 보려고 하지 않는다. 밝은 면을 보려고 노력한다는 명분이 있지만, 진지하게 바라보지 않는 것이 더 정확한 표현이다. 주의를 딴 데로 돌려 재미있는 상태를 유지하려는 모습이다. 나는 자유롭게 즐거운 상황을 즐기는 건데 혹자는 내가 진지하지 않다고 꼬집어 말하기도 한다. 심각한 것을 싫어한다고만 생각했는데 심각한 상황 자체를 회피하는 것이라고는 생각하지 못했다.


## 나는 넓고 얕게 알고 있다

나는 내 주변에서 발생하는 흥미로운 것들에 대해 항상 호기심을 가지고 바라본다. 이런 나에게 혹자는 '모르는 것이 없다'고 말하기도 한다. 호기심뿐만 아니라 모험심까지 강해 다양한 분야까지 알고 있다. 그래서 사람들은 나를 '만능 엔터테이너'라고 말한다. 하지만 이것저것 넓게 알고 있는 것일 뿐, 깊게 아는 것은 아니다.

## 나는 산만하다

나는 외부 활동을 매우 열정적으로 한다. 주변에서 일어나는 다양한 것들에 관심을 갖고 경험하는 것을 시도한다. 내 삶은 항상 흥미롭고 즐거운 일로 가득 차 있다. 이런 활동을 하지 않으면 내 내면은 공허해져 견디지 못한다. 그래서 나에겐 지루한 것을 견디지 못하는 단점이 있다. 점점 더 강한 짜릿함을 원해 중독적인 것들에 눈을 돌리게 되기도 한다. 나를 산만하다고 말하는 이유가 된다.


## 나는 바쁘다

외부 활동을 즐긴다는 말은 항상 밖으로 나가는 일정을 만든다는 것과도 같다. 주변 지인들은 내가 어떤 일정을 보내는지 궁금해 따라가 보고 싶다고 말하기도 한다. 나도 가끔 이런 생각을 한다. "왜 나는 다른 사람들보다 바쁠까?" 나와 반대로 아무 일도 하지 않고 집에만 있는 사람들이 이해되지 않는다. 세상에는 해야 할 것, 가야 할 곳, 먹어야 할 음식이 얼마나 많은데 태평하게 아무것도 하지 않을 수 있을까.

## 8번 유형
{강함을 유지하는 사람}

| 집착 | 힘, 강함 |
|------|---------|
| 두려움 | 통제를 당하는 것 |
| 회피 | 약해지는 것 |
| 장점 | 적극적인 활동, 통솔력이 있음, 자신감이 넘침, 결단력이 뛰어남 |
| 약점 | 공격적이고 강압적인 모습, 배려심 부족, 자기주장이 센 모습 |

### 나는 힘이 세다

　나는 강한 사람이며 주장이 강하다. 모든 일이 내 통제하에 돌아가야 한다. 나는 강함을 유지하기 위해서 권력을 갖는 것을 중요하게 생각한다. 주변 사람들과 힘의 경쟁이 벌어지면 협상을 하는 것이 아닌, 투쟁과 전쟁을 진행한다. 궁극적으로 내가 힘의 우위를 차지해야 하기 때문이다. 내가 강하다는 것을 입증하기 위해서는 권력은 당연히 필요조건이 된다. 나를 보고 권력욕이 있다고 말하는 사람들이 있는데 사실이다.

### 나는 강하게 밀어붙인다

　나는 약한 것을 용납할 수 없다. 나는 강한 사람이기 때문에 피해자와 약자를 돕고자 하는 마음을 가지고 있다. 하지만 아무것도 하지 않는 나약한 사람을 보면 화가 나고 그들을 돕고 싶지 않다. 내가 리더라면 팀원들을 강하게 밀어붙이는 추진력을 보여준다. 그 결과 팀원들은 힘들다고 말하지만 평소의 능력 이상의 모습을 끌어내기도 한다. 따라오지 못하는 사람들은 나의 이런 모습에 대해서 '공격적', '독재적'이라고 말을 한다. 하지만 따라오는 사람들은 '의지할 수 있는 리더', '든든한 리더'라고 평가한다.

## 나는 통제당하는 것을 거부한다

나는 남을 지배하고 통제하지만 내가 남에게 지배당하고 통제당하는 것은 참을 수 없다. 이런 이유로 외부의 적을 미리 감지하여 힘의 우위를 점유하기 위한 작업을 미리 진행하게 되는데 이때 권력을 남발하기도 한다. 혹자는 나에게 지배와 통제에 대한 욕구를 버리라고 말하지만 그것은 나에게 민감한 것이기 때문에 절대로 버릴 수 없다.

## 나는 연약한 면을 보여주지 않는다

나의 연약한 면을 보여주는 것만큼 내가 피하고 싶은 것은 없을 것이다. 나의 강함을 꾸준하게 유지하기 위해서 내가 주로 사용하는 방법은, 타인의 제안을 거부하고 공격하는 것이다. 무턱대고 타인을 공격하는 것이 잘못된 방법이라는 것을 알지만 나 자신을 보호하기 위해서는 어쩔 수 없다. 그래서 나에게 부드러움은 찾아보기 힘들다. 진정한 강함은 나의 연약한 모습, 실패한 모습, 사랑하는 모습까지도 보여줄 수 있어야 하지만 난 그것을 강하게 부정한다. 때로는 타인에게 의존하는 것도 필요하고 도움을 받을 줄도 알아야 하지만 이런 것들은 나의 연약한 모습을 드러내는 것이라 나에게는 무척 어려운 일이다.

## 9번 유형
{안정을 추구하는 사람}

| 집착 | 인정, 평화 |
|------|-----------|
| 두려움 | 문제가 발생하는 것, 귀찮아지는 것 |
| 회피 | 갈등이 일어나는 것 |
| 장점 | 이해하는 것, 수용하는 것, 조화와 균형감각을 유지하는 것 |
| 약점 | 수동적인 것, 갈등 회피하는 것, 우유부단한 것 |

## 나는 평화로운 사람이다

나의 모습은 대부분 조용하게 유지된다. 그런 평화로운 상태를 매우 원한다. 느긋한 성격을 가지고 있어 다른 사람들이 심각하게 흥분할 상황에 함께 동참하지 않는다. 항상 덤덤하고 태평한 모습을 유지한다.

나는 화를 내지도 않는다. 대부분의 사람들이 화를 내는 상황에서 동일한 화가 올라오지 않는다. 이런 이유로 사람들은 나와 함께 있으면 편안함을 느낀다고 말한다. 실제로 나에겐 적이 없다.


## 나는 수동적이다

나는 갈등을 만들지 않기 위해서 긍정적인 태도를 유지한다. 하지만 나의 긍정적인 태도에는 적극성이 없다. 단지 상대의 태도에 맞추는 것이다. 나를 오랫동안 경험한 사람은 내가 수동적이라는 것을 잘 안다. 그래서 더 이상 나에게 질문을 하거나 의견을 묻지 않는다. 나로부터 특별한 답변이 나오는 것도 아니고, 그냥 끌고 가면 내가 따라가기 때문이다. 나도 나의 수동적인 모습을 고치고 싶을 때가 있지만 적극적인 자세를 취하는 것이 너무 불편하고 힘들다.

## 나는 갈등을 회피한다

　나에게 갈등의 문제가 발생하면 무조건 그 갈등을 회피한다. 갈등을 직면하는 것이 너무 힘들다. 차라리 내 마음을 불편하게 만드는 것들을 회피하는 것이 내 마음을 더 편하게 만든다. 혹자는 "회피하는 것이 더 힘들겠다."라고 말을 하지만 난 그렇게 생각하지 않는다. 내가 갈등을 잘 수용한다고 생각하는 것도 나를 오해하는 것이다. 정확히 말하면 그것은 수용이 아닌 회피다.


## 나의 내면은 혼란스럽다

　나는 평화로워 보이지만 그 이면에는 매우 많은 갈등이 존재하고 있다. 나의 의견을 말해야 하는 상황이 벌어졌을 때 난 내면의 혼란을 겪게 된다. 나에게 아무도 발언의 기회를 주지 않았으면 좋겠다. 난 생각한 것을 말하지 않고, 실행하지 않는 것이 습관이 되었다. 이런 모습에 대해서 누구는 나를 나태하다고 말하는데 난 이 표현을 인정하고 싶지 않다.

　난 나의 진정한 욕구가 무엇인지조차 판단하지 못하는 사람이 되어 버렸다. 누가 무엇을 물어봐도 나의 판단을 유보하고 타인의 결정을 따르게 된다. 겉으로 보기엔 평화로워 보이지만 나의 내면에서는 불안감으로 혼란상태가 된다. 남들에게 "괜찮아, 신경쓰지마." 혹은 "잘 모르겠어. 네가 골라봐."라는 말을 자주 하는데, 내면의 혼란을 빨리 끝내고 싶어 하는 말이다. 내 주변 사람들은 이런 나의 모습에 대해서 매우 답답해한다.


## 나는 게으르다

주변에서 나를 게으른 사람이라고 말하는데, 난 게으르고 싶은 의도는 없다. 게으른 행동을 하는 이유가 있다. 다른 유형들은 자신이 원하는 것을 이루기 위해서 꾸준히 무언가를 하지만 난 나의 마음 상태가 평화롭게 유지되는 것을 원한다. 그래서 다른 사람들이 노력하고 서두를 때 난 동요되지 않는다. 그런 노력 자체를 하지 않는 것이 내 마음을 더 편하게 만들기 때문이다. 부지런한 사람이나 열정적인 사람은 이런 나의 속마음을 잘 모르는 것 같다. 그저 나를 게으르다고만 말한다.

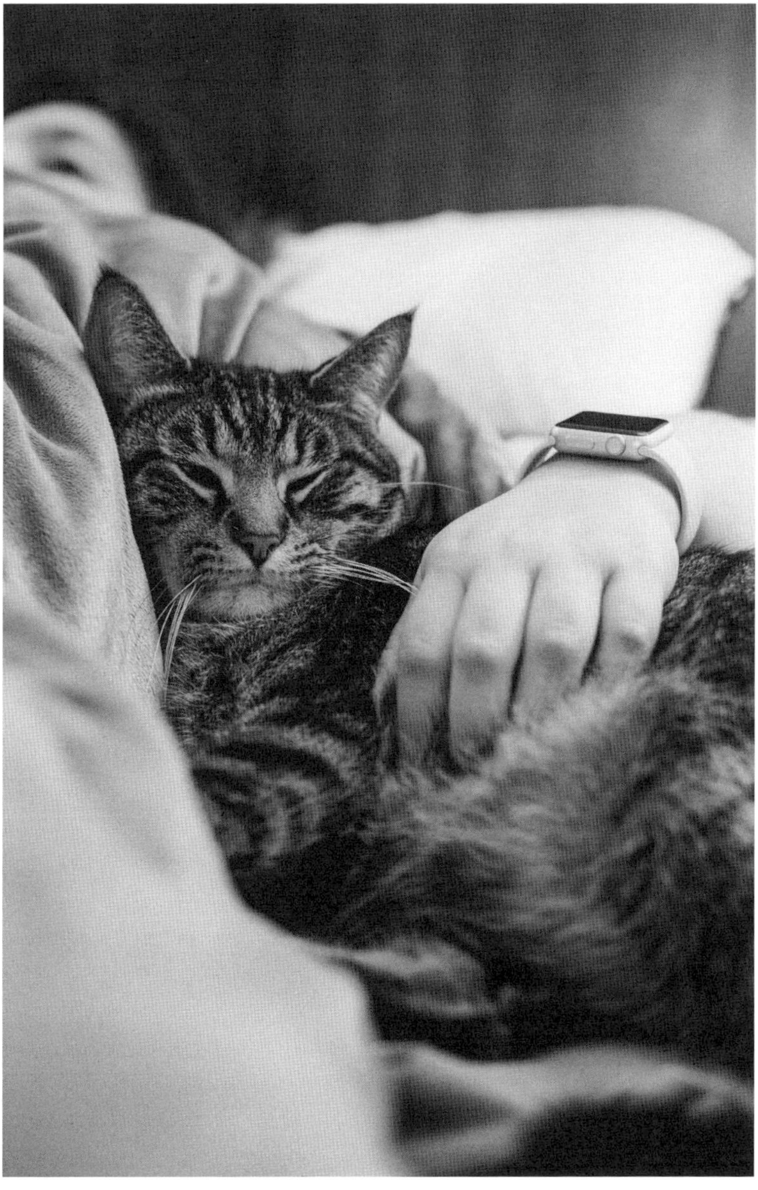

@Chris Abney

# 02_
# 조직 안 9가지 유형

# 조직과 에니어그램

## 조직에서의 에니어그램 사용

조직에는 에니어그램에서 말하는 9가지 유형의 사람들이 섞여 함께 지내고 있다. 각 유형의 사람들은 자신만이 고집하는 집착을 가지고 매일 살아가는데, 혼자일 때는 문제가 되지 않지만 다양한 사람들과 함께 지낼 때는 많은 문제가 발생한다. 어느 유형이나 다른 유형들이 이해하지 못할 성격적인 면을 가지고 있다. 그것을 알지 못하면 나를 제외한 모든 사람들은 이상한 사람들이 된다. 각 유형의 성격을 보통 수준으로 사용하는 것이 아닌, 더 강하게 사용하는 사람이 있으며, 우리는 이러한 사람을 이상한 사람이라고 말하기도 한다. 이상한 사람이 많은 조직에서 생활하는 것은 하루 하루가 지옥일 것이다. 그래서 에니어그램을 통해 조직에서의 각 유형이 어떤지를 아는 것은 매우 중요하다.

# 9가지 유형의 상사와 직원

## 1번 유형의 상사
{완벽을 추구하는 사람}

원칙적인 태도를 가지고 있어 공정하고 합리적인 의사결정을 할 가능성이 크다. 이러한 상사는 직원들에게 균등한 기회를 제공하며 편파적이지 않은 환경을 조성한다.

프로젝트의 성공과 실패에 대한 책임감이 강하기 때문에 필요한 조치를 적시에 취한다. 이로 인해 팀원들도 책임감을 높이게 되어 조직의 성과에 긍정적인 영향을 미치게 된다.

이들은 높은 표준으로 그만큼의 기대치를 가지고 있다. 당연히 팀의 전반적인 품질과 성과가 향상될 가능성이 크다. 주변의 신뢰를 받는 상사의 모습이라고 할 수 있다.

## 1번 유형의 직원
{완벽을 추구하는 사람}

업무 과정에서 이들의 꼼꼼함은 빛을 발한다. 세부 사항에 대한 주의 깊은 관심의 모습을 보여준다. 문제점이나 미흡한 부분을 발견하게 되면 빠르게 파악하고 수정한다.

맡은 업무를 매우 성실하게 수행하기 때문에 신뢰가 되는 직원이라고 할 수 있다. 심지어 프로젝트의 성공과 실패에 대한 책임감도 강해 그런 모범적인 모습을 칭찬하지 않을 수 없다.

자신의 업무와 관련된 기술과 지식이 필요하다면 지속적인 노력을 통해서 습득을 한다. 이러한 태도는 개인의 성장뿐만 아니라 조직의 발전에도 기여할 수 있다.

## 2번 유형의 상사
{도움을 주는 사람}

직원들의 감정과 요구에 민감하게 반응하는 인간 중심적인 상사다. 항상 직원들을 지지하고 도움을 주려고 노력한다. 이로 인해 직원들은 더욱 안정되고 행복한 환경에서 일할 수 있게 되며, 서로의 유대감은 강화된다.

다른 사람들의 입장에서 생각하고 이해할 수 있는 공감력을 가지고 있다. 직원들과 원활한 의사소통을 하기 때문에 관계에서 벌어지는 문제를 해결하는데 탁월한 능력을 보여준다.

직원들의 능력과 잠재력을 잘 인정해주며, 그들이 최선을 다하고 성장할 수 있도록 격려한다. 이러한 동기부여는 직원들의 만족도를 높일 뿐만 아니라 생산성까지도 높이는 데 도움을 준다.


## 2번 유형의 직원
{도움을 주는 사람}

2번 유형의 직원 또한 인간 중심적이다. 동료들의 감정과 요구에 민감하게 반응을 한다. 상사에 대해서도 매우 친절하게 반응을 하기 때문에 대부분의 사람들이 2번 유형의 직원을 좋아한다.

공감력도 뛰어나 동료들의 입장을 잘 이해하고 지지한다. 만약 어떤 문제가 벌어지더라도 그 갈등을 대화로 충분히 해결할 수 있다. 당사자 간의 원활한 협력이 가능하도록 중재하는 직원이다.

동료들이 도움을 필요로 하면 기꺼이 도움을 주기 위해 노력한다. 이러한 도움은 업무의 효율을 향상시킬 뿐만 아니라 성공적인 프로젝트 완수에도 기여를 한다. 2번 유형 직원의 지원과 도움이 없다면 각자도생의 직장 생활이 될 것이다.

## 3번 유형의 상사
{성공지향적인 사람}

　명확한 목표와 비전을 설정하며 이를 팀원들에게 전달하는 데 능숙하다. 팀 구성원들이 빠르게 성과를 만들어내도록 하는 능력을 가지고 있다. 일적으로 매우 매력적인 상사라고 할 수 있다. 이런 모습으로 인해 주변 사람들이 함께 일하고 싶어 한다.

　자기 주도적인 능력이 탁월하다. 업무를 계획하고 실행하는 데 남다른 능력이 있다. 이러한 능력은 팀원들에게도 영향을 주어 자기 주도적인 업무 수행을 촉진시킨다. 성과를 만들기 위해서 효율적인 방법을 찾고 그것을 실행하는 모습은 직원들이 볼 때 본보기가 된다.


## 3번 유형의 직원
{성공지향적인 사람}

　효율적으로 시간 관리를 잘 하기 때문에 복잡한 일정이 주어지더라도 원활하게 처리할 수 있다. 이러한 시간 관리 능력은 팀의 생산성을 높이는데도 큰 몫을 한다.

　업무를 할 때 명확한 목표를 설정하며 달성하는 과정 가운데 포기하지 않고 노력한다. 이러한 목표 지향적인 태도는 이들의 승진을 앞당겨주는 효과를 가져오기도 한다. 일을 할 때 주저하지 않고 주도적으로 해 나가기 때문에 어떤 역할을 맡기더라도 잘 해낸다. 특히 경쟁이 심한 조직 내에서도 힘들어하지 않고 열정적으로 해내는 모습을 보인다.

## 4번 유형의 상사
{특별함을 원하는 사람}

창의적인 사고와 독창적인 아이디어로 이전과는 다른 혁신을 만들어낼 수 있다. 이들의 창의성은 문제를 해결하는데 다른 시각을 갖게 해준다. 특히 예술적인 분야에서는 4번 유형의 상사가 빛을 발하게 된다.

이들은 자신의 개성이 강한 것처럼 다른 사람들의 다양한 개성 또한 존중할 줄 안다. 그래서 다양한 직원들이 자신만의 독특한 역량을 발휘하고 성장할 수 있도록 도울 수 있다.

다른 상사들이 "그것은 안 됩니다."라고 말을 할 때, 4번 유형의 상사는 허용을 할 수 있다. 왜냐하면 이전에 하지 않았던 새로운 접근을 하는 것이 문제가 된다고 생각하지 않기 때문이다. 경직되지 않고 보수적이지 않은 사고를 하는 상사라고 할 수 있다.

## 4번 유형의 직원
{특별함을 원하는 사람}

감정이 풍부하기 때문에 감성적인 의견을 내놓을 수 있다. 고객의 마음을 끌기 위해서는 감성적인 면을 파악하는 것이 중요하기 때문에 4번 유형 직원의 의견은 보편적이지 않지만 섬세한 부분을 건드릴 수 있다.

자신만의 독특한 방식을 가지고 있는 4번 유형은 그런 점을 인정해주는 조직에 있다면 자신의 능력을 최대한으로 표현할 수 있다. 특히 창의력이 필요한 상황에서 이들의 능력은 인정을 받게 된다.

남들과 다른 것을 추구하는 욕구 때문에 다른 조직의 방식을 따라하고 싶지 않다고 말한다. 어느 누구도 하지 않았던 참신한 의견을 내놓기 때문에 선구자가 되기도 한다.

## 5번 유형의 상사
{지식을 추구하는 사람}

문제를 해결할 때나 의사 결정을 할 때 분석적 사고를 잘 활용한다. 충분한 조사와 분석을 한 후에 결정을 내리기 때문에 어떤 문제가 발생할 가능성은 매우 낮다. 직원들도 이들의 모습을 신뢰하지 않을 수 없다.

항상 지식을 추구하기 때문에 새로운 정보와 기술을 습득하는데 관심이 많다. 5번 유형의 상사에게 물어보면 모르는 것이 없을 정도다. 전문성 하나만큼은 최고를 자랑한다.

업무를 관리하는 방법에서도 체계적인 모습을 보인다. 그래서 팀원들에게 명확한 가이드라인과 방향성을 제공할 수 있다. 혼잡한 상황이 펼쳐지지 않도록 체계적으로 관리를 하기 때문에 안정성도 높은 편이다.

## 5번 유형의 직원
{지식을 추구하는 사람}

시키는 것만 하는 단순한 사고의 직원이 아니다. 전략적인 관점에서 사고를 하기 때문에 장기적인 계획을 세울 줄 안다. 업무가 주어질 때마다 그에 맞는 계획을 세우며, 당장 눈앞에 벌어지는 일에만 몰두하는 것은 아니다. 장기적인 관점에서 기다릴 줄도 알며 때가 오기를 기다린다. 항상 준비를 하는 전략적인 사람이라고 할 수 있다.

새로운 정보와 기술을 빠르게 습득할 수 있는 뛰어난 학습 능력을 가지고 있다. 공부를 하는 것이 습관이 되어 성장 가능성이 매우 큰 것도 사실이다. 이들에게 취미를 물어보면 '공부'라고 말할 가능성이 크다.

편을 먹거나 라인을 타는 유형이 아니다. 매우 객관적이며 공정한 것을 좋아한다. 전혀 정치적이지 않아 경쟁이 벌어질 때 묵묵히 자신의 길을 걷는다.

## 6번 유형의 상사
{안전을 추구하는 사람}

어떤 결정을 할 때마다 매우 신중한 자세를 취한다. 불안한 일은 거의 벌어지지 않는다. 규칙을 잘 지키며 일탈하는 모습이 거의 없다.

업무를 할 때 "이번 새로운 프로젝트는 제가 맡아서 해 보겠습니다."와 같은 말은 거의 하지 않는다. 불안을 많이 느껴 새로운 것보다는 기존의 것을 선택한다.

위기대처능력이 뛰어난데 순간적인 순발력으로 해결하는 스타일이 아닌, 처음부터 위기가 발생하지 않도록 준비를 많이 하는 편이다. 직장이 안정적인 분위기 안에서 유지되도록 노력하는 상사라고 할 수 있다.

## 6번 유형의 직원
{안전을 추구하는 사람}

6번 유형의 직원은 과감하게 책임을 맡는 스타일이 아니다. 단지 구성원 중에 한 명으로 소속되기를 바랄 뿐이다. 팀워크를 중요하게 생각하기 때문에 팀원들과 원활한 의사소통과 협력을 통해서 일을 하지, 자신이 주목을 받는 상황을 만들지 않는다.

매우 꼼꼼한 모습을 보일 때가 있다. 왜냐하면 어떤 변화가 생길지 몰라서 준비를 많이 하는 것이다. 새로운 일을 시작하게 될 때 이런 모습은 특별히 더 강화된다. 그만큼 실수를 하는 경우는 줄어들게 된다. 회의를 한다면 반드시 회의록을 만들어 대화 내용을 정리한다. 왜냐하면 실수가 발생하게 되었을 때 더 큰 문제로 커지는 막을 수 있기 때문이다.

## 7번 유형의 상사
{재미를 추구하는 사람}

7번 유형의 상사가 있는 사무실은 웃음, 유머, 활력이 넘친다. 항상 열정적으로 일하기 때문에 함께 일하는 직원들에게도 영향을 미친다. 7번 유형 상사의 에너지는 팀원들을 격려하고 동기 부여를 하는데 큰 도움이 된다.

창의적인 사고를 하는 것을 좋아하기 때문에 혁신적인 아이디어를 제안할 경우가 많다. 기존의 방식에 얽매이지 않고 새로운 접근법을 도입하는데 적극적이다. 보수적이지 않은 개방적인 상사라고 할 수 있다.

유연한 사고를 가지고 있어 빠른 변화에 잘 적응한다. 예상치 못한 어떤 문제가 발생하더라도 곧바로 해결책을 찾는데 능숙하게 대처한다. 평범하지 않은 의견도 잘 수용하는 편이다.

## 7번 유형의 직원
{재미를 추구하는 사람}

재미있는 면 때문에 주위 직원들과도 잘 지낸다. 종종 선을 넘는 자유로움 때문에 제지를 당하기도 한다. 이들의 열정이 사라진 사무실 분위기를 생각해 보라. 무미건조해진 모습이 상상될 것이다. 그만큼 긍정적인 존재감이 큰 직원이다.

일을 할 때 왠만하면 긍정적인 태도를 가지고 업무에 임한다. 그런 태도가 동료들에게도 전달되어 팀의 전반적인 분위기가 긍정적으로 변한다. 다들 '안 된다'고 할 때 긍정적으로 바라보고 시도하기 때문에 '된다'는 결과를 만들어내기도 한다.

이들의 긍정적인 태도는 새로운 시도를 하는 것도 어렵지 않게 만든다. 이런 이유로 종종 좋은 기회를 만나 성공적인 결과를 만들어내기도 한다. 이들은 인생이 한 순간에 바뀌는, 그런 운이 좋은 기회를 만날 수도 있다고 생각한다.

# ❽
## 8번 유형의 상사
{강함을 유지하는 사람}

책임감이 막중한 리더로서의 역할을 잘 수행한다. 팀원들을 이끌고 목표를 향해 저돌적으로 나아간다. 직원들이 주어진 역할을 잘할 수 있도록 적절한 압력 사용도 잘 활용한다.

빠르고 단호한 의사결정 능력을 가지고 있어 중요하고 긴박한 상황에서 절대로 우왕좌왕하지 않는다. 우유부단하지 않고 적절하고 과감한 판단을 내리는 모습은 직원들의 신뢰를 얻는데 충분하다.

어려운 상황이 펼쳐졌을 때 많은 사람들이 포기를 할 때도 8번 유형의 상사는 포기하지 않는다. 불가능해 보이지만 끝까지 밀어붙여 어떻게 해서든 성공적인 결과를 만들어낸다.

## 8번 유형의 직원
{강함을 유지하는 사람}

직원이지만 수동적인 자세를 취하지 않는다. 상사가 보기에 8번 유형 직원은 점점 눈에 띄지 않을 수 없다. 이들에게 어떤 일을 맡기게 되는 경우가 많다. 적극적으로 일하는 모습 때문에 승진의 기회도 잘 잡는 편이다.

위험한 상황이 펼쳐졌을 때 자신의 몸을 보호하기 위해서 숨거나 빠지는 행동은 절대로 하지 않는다. 오히려 맞서 이길 때까지 싸운다. 경쟁이 심하고 강한 추진력이 필요한 직장에서는 이들의 모습이 빛을 발한다.

## 9번 유형의 상사
{안정을 유지하는 사람}

조화로운 분위기를 조성하여 팀 내 분위기를 안정적인 상태로 만든다. 이를 통해 팀 내에서 발생할 수 있는 갈등을 예방하고, 항상 협력적인 분위기가 유지되도록 한다. 직원들의 의견에 귀를 기울이고 모든 내용들을 수용하는 자세를 취한다. 직장 내에서 직원이 자신의 의견을 표현하는 것이 쉽지 않을 수 있는데 9번 유형의 상사는 권위적이지 않기 때문에 가능한 것이다. 일을 하다 보면 직원들 사이에 분쟁이 벌어지기도 한다. 이때 갈등의 분위기가 더 커지지 않도록 노력하며, 판결을 하기 보다는 적당히 마무리되기를 바란다.


## 9번 유형의 직원
{안정을 유지하는 사람}

협력적인 태도를 가지고 있기 때문에 주어진 일에 불만 없이 임한다. 다른 직원들과도 협업을 잘 하며, 자신의 주장을 내세우기보다는 전체의 분위기에 따라 행동한다. 일을 하다보면 다양한 상황이 펼쳐져 불편할 때가 있기도 하지만 최대한 수용적인 자세를 취하기 때문에 불편의 상황이 금방 바뀌게 된다. 팀의 평화와 단합에 큰 몫을 조용히 하는 직원이라고 할 수 있다.

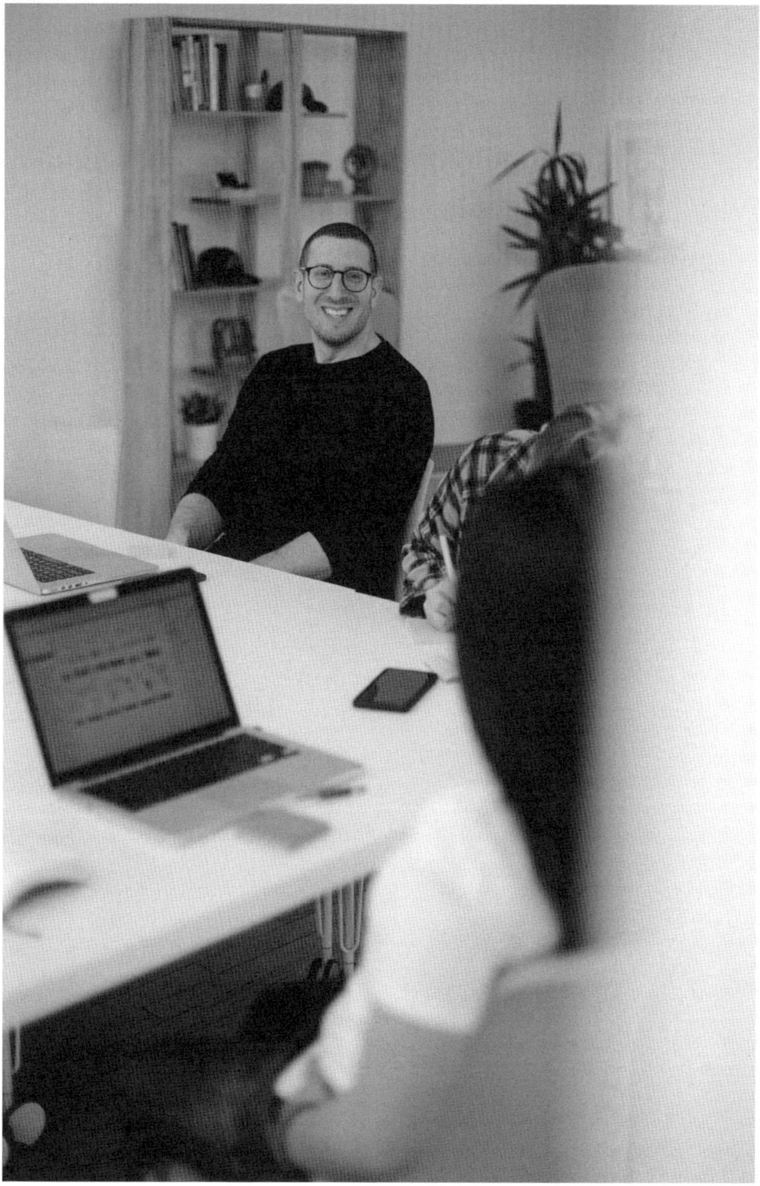

@Jason Goodman

# 03_

# 자기 계발

# 9가지 유형의 자기계발 전략

## 1번 유형
{완벽을 추구하는 사람}

### 다양한 관점을 수용하자

1번 유형은 자신이 정해놓은 원칙에서 벗어난 행동을 하지 않으려고 한다. 타인에게도 자신의 원칙을 요구하기 때문에 잔소리가 많은 편이다. 1번 유형의 기준이 올바른 내용일 가능성이 크지만 그것을 듣는 사람들은 기분이 좋을 수 없다. 그래서 1번 유형은 자신과 다른 타인의 기준은 무엇인지 인정하는 것이 필요하다. 자신의 관점만이 정답이라고 고집해서는 안 된다. 어떤 주제에 대해 강한 주장을 펼쳐야 하는 상황에서도 타인의 생각은 어떻게 되는지 묻고 이해를 하려고 노력해야 한다. 경청을 하다 보면 자신이 미처 생각지 못한 좋은 의견들이 많다는 것을 알게 될 것이다.

## 다른 사람들과 교류하자

1번 유형은 자신의 판단만을 믿기 때문에 타인의 의견을 듣고자 하지 않는다. 이런 방식 때문에 1번 유형은 자신을 점점 고립시키게 된다. 함께 살아가는 세상에서 실수는 누구나 할 수 있다. 타인의 의견을 경청하는 자세가 필요하다. 이전과는 다른 다양한 사람들과의 교류를 해야 한다. 나의 생각과 다른 다양한 사람들과 공유하고 열린 대화를 할 때 1번 유형은 더 크게 성장할 수 있다. 타인과 자신의 생각이 서로 다르다는 것을 진정으로 받아들이게 되면 자신만의 기대치를 낮추게 된다. 이때부터 이전과는 다른 합리적인 목표, 모두가 함께 이룰 수 있는 목표를 세울 수 있다.


## 즉흥적인 일도 해보자

1번 유형은 자신을 억제하기 위한 자제력을 지니고 있다. 책임감이 강해 어떤 행동이나 말을 하기 전에 자신이 사용할 단어를 검토하기도 한다. 이런 행동은 자신을 더욱 긴장하게 만든다. 그래서 좀 더 즉흥적인 결정을 하는 것을 권하고 싶다. 하루에 한 가지씩 전혀 계획하지 않은 활동을 해보는 것을 추천한다. 자신에게 다음과 같은 질문을 해보자.

"나는 지금 무엇을 하고 싶은가?"

즉각적으로 생각해 낸 것이 있다면 바로 시도하자. 지금 하고 있는 것이 있더라도 그것을 잠시 중단하고 즉흥적으로 생각해 낸 활동을 하는 것이다. 여기에서의 핵심은 '즉흥적'이어야 한다는 점이다. 예를 들어 누군가 산책을 가자고 하거나 점심을 함께 먹으러 가자고 제안한다면 무조건 함께 하자. 바로 나서야 한다. 처음에는 쉽지 않을 것이다. 즉흥성을 키우기 위해 이것저것 생각하지 말고 일단 "예"라는 답변을 하고 움직이자. 걱정하는 것처럼 별 일이 벌어지지 않는다는 것을 알게 될 것이다.

## 업무와 재미를 통합하자

1번 유형들은 일을 할 때는 오직 일만 한다. 이런 1번 유형과는 다른 방식으로 일을 하는 7번 유형이 있다. 일을 한다는 것은 동일하지만 그 안에서 재미를 찾으려고 노력한다는 점이 다르다. 1번 유형들은 일터에서 의식적으로 일과 재미를 함께 찾는 것이 필요하다. 팀원들과 회의를 할 때 음식을 가져가 보자. 분명 회의 분위기가 바뀔 것이다. 사람들과 재미있는 대화를 나누면서 회의를 진행하는 자신의 모습을 발견할 것이다. 컴퓨터 작업을 할 때도 가장 좋아하는 노래를 틀어 놓자. 그 노래에 맞춰 흥얼거리는 사람과 그 노래에 대한 추억을 나누게 될 것이다. 이것이 어렵지 않다면 이제는 자신에게 재미를 주는 20가지 목록을 작성하고 매주마다 한 가지씩 실행을 하는 것이다. 만약 이런 활동을 하다가 시간을 허비하고 있다는 생각이 든다면 다음과 같은 생각을 하며 안심을 하는 것이 필요하다.

매일 조금의 시간을 할애하여 즐거움을 찾는 것은 업무 생산성을 향상시키는 것은 물론 나의 건강까지도 지키는 것이다.

일을 할 때 즐거움을 느껴 긴장하던 몸이 이완되기 시작하니 건강에도 좋다는 말은 헛소리가 아닐 것이다.

## 실수를 허용하고 자신을 칭찬하자

1번 유형은 남의 실수도 허용하지 못하지만 자신이 저지른 실수에 대해서도 자책을 심하게 한다. 실수는 하지 않는 것이 더 좋겠지만 실수를 할 수도 있다는 것을 받아들여야 한다. 그래야 다른 사람의 실수도 용서하는 것이 쉬워진다. 그 실수가 고의적이지 않다면 가볍게 넘길 줄 알아야 한다. 실수의 늪에서 허우적대봤자 타인과 자신 모두를 파괴하게 된다. 실수는 앞으로 전진하는데 큰 도약점이 되는 기회라는 것을 기억하자.

## 나 중심으로 살자

　2번 유형은 주로 타인을 돕는 삶을 산다. 타인에 대한 관심이 커 그들이 꾸는 꿈을 쫓을 수 있도록 도와준다. 하지만 정작 자신의 꿈에 대해서는 분명히 말하지도 못하고 그 꿈을 쫓지도 못한다. 스스로에게 다음과 같은 질문을 해보자. "내가 사랑하고 열망하는 것은 무엇인가?", "이전부터 하고 싶었지만 시간을 내지 못해 하지 못한 것은 무엇인가?", "나의 열망을 제일 우선으로 둔다면 어떤 일이 일어나겠는가?" 아마 평소에 절대로 생각지 않았던 질문들일 것이다. 그냥 넘기지 말고 위 질문에 대한 답변을 꼭 작성해 보기 바란다. 타인이 아닌 자신에 대해서 고민을 하고 집중한다는 것이 2번 유형에게는 어색한 행동이 아닐 수 없다. 하지만 타인에 대한 생각은 잠시 내려놓고 자신의 꿈에 대해서 집중을 해보자. 전혀 문제가 되지 않는다는 것을 인식해야 한다. 그렇게 된다면 점점 '나 중심으로 살기'가 가능해진다. 자신의 생각과 감정을 타인에게 공개적으로 표현하는 것도 시도를 해야 한다. 다른 사람의 시선을 너무 의식해서 그동안 하지 못했던 것 아닌가.

## 필요한 '아니오'를 말하자

2번 유형의 입에서 '아니오'라는 말이 쉽게 나오지 않는다. 주변 사람들을 돕기 위해서는 나를 내려놓아야 하기 때문에 '아니오'라는 거절을 하지 못하는 것이다. 하지만 그것은 올바른 의사소통이 아니다. 누구나 필요한 '아니오'를 말할 수 있어야 한다. 거절을 해야 할 상황에서는 확실한 '아니오'를 말하는 것이 현명한 행동이다.

타인의 행복이 나 자신의 행복보다 우선시될 수는 없다. 타인의 행복을 통해서 나의 행복을 찾는다고 말하는 사람들이 있다. 다른 사람을 도움으로 왜 자신의 정체성을 찾고 있는 것일까? 타인을 돕는다는 명분으로 자신의 삶을 피폐하게 만들고 있는 것은 아닐까 생각해보자. 타인을 돕기 위해서 집안을 내팽겨치는 일은 없어야 한다. 자신을 위해서 '아니오'를 말한다고 비난할 사람은 없지만 타인을 돕는다는 이유로 자신의 삶을 엉망으로 만드는 사람에 대해서는 비난할 사람들이 많다.


## 나를 연민하자

2번 유형은 다른 사람 중심적이다. 타인에게는 친절하게 자신의 시간과 에너지를 사용하지만 정작 자신을 위해서는 그 어떤 노력도 하지 않는다. 그래서 정작 가장 불쌍한 사람은 2번 유형 자신일 수 있다. 타인을 돕고자 한다면 먼저 자신부터 돕자. 자신에게 친절해야 하며, 자신에 대한 동점심을 가져야 한다. 그것은 이기적인 것이 아닌 자신을 사랑하는 것이며, 자신을 사랑할 수 있는 사람이 남도 사랑할 수 있다. 자신을 사랑하지 못하면 결국 자신의 삶에 주인공인 자신은 빠지게 된다. 자신을 연민함으로 삶의 주체가 정상적으로 되돌아오게 해야 한다.

## 도와달라고 말하자

　2번 유형은 누군가에게 자신을 도와달라고 말하는 것을 어려워한다. '도와주세요'라고 말하는 것을 실수라고 생각한다면 그 생각을 바꾸자. 우리 모두는 도움이 필요할 때 도움을 요청해야 하며, 적절한 시점에 도움을 받아서 문제를 해결하는 것도 삶의 지혜라고 할 수 있다. 도움을 받는 것에 대해 편견을 가지지 말고 개방적인 태도를 취하자. 무조건적인 희생의 삶은 자신뿐만 아니라 주변 사람들에게도 안 좋은 영향을 미칠 수 있다. 농가에서 품앗이를 하는 모습을 떠올려보자. 일손이 급할 때는 빨리 도움을 요청해 수확을 잘 마무리 지어야 한다.

# 3번 유형

{성공지향적인 사람}

## 외부의 인정에 집착하지 말자

3번 유형은 성공 욕구가 강해 진정으로 자신이 원하는 것이 무엇인지 모른 채 외부의 인정이나 사회적 기대만을 추구하게 된다. 그래서 자신이 원하는 것을 향해 가는 것이 아니라 다른 사람들이 보기에 성공으로 보이는 것을 쫓아간다.

스스로를 외부의 인정에 맞추니 자신의 참된 삶을 살지 못하게 된다. 외부에서 바라보는 시선에 대한 생각을 중단하고, 자신이 진정으로 원하는 성공의 모습은 무엇인지 그려보자.

## 팀을 먼저 생각하고 협력을 통해 함께 성장하자

팀에서는 개인의 성과보다 팀 결과를 더 우선시해야 하는데 3번 유형은 자신의 성과를 더 강조하는 모습을 보인다. 그래서 3번 유형을 '기회주의자'라고 말하기도 한다. 3번 유형은 자신이 돋보이는 것보다 팀원 모두가 함께 성과를 가져가는 것이 중요하다는 것을 기억해야 한다. 자신을 돋보이게 함으로 승진을 빠르게 할 수 있지만 점점 주변 사람들이 떠날 수 있다는 것을 알아야 한다.

3번 유형은 경쟁을 통해서 빠르게 성공하는 것을 원한다. 하지만 경쟁은 다른 사람의 실패를 만들며, 결국 자신까지도 희생시키는 결과를 만들기도 한다. 이제는 다른 사람들을 경쟁자로만 보지 말고, 공동의 목표를 위해 협력할 수 있는 귀중한 동반자로 생각하자. 협력을 통해 함께 성장하는 것이 더 멀리 갈 수 있다는 것을 인식해야 한다.

## 자신의 실패를 받아들이자

성공에 집착하는 3번 유형은 자신이 실패한 경험을 공개하는 것을 꺼린다. 하지만 실패는 성공을 위한 노력의 과정이기도 하고, 누구나 인생에서 경험을 하는 당연한 것이지 절대로 부끄러운 것이 아니다. 하지만 이런 점을 자신의 과거로 인정하지 않고 계속 감추려고 노력을 한다. 그 노력은 꼬리를 무는 거짓말이 되어 후폭풍으로 되돌아오게 된다. 실패한 것을 진솔하게 공개하자. 실패 없는 사람들이 얼마나 있겠는가. 실패는 성공의 어머니라는 말처럼 실패를 거울삼아 성장의 디딤돌로 삼는 것은 자연스러운 것이다.

## 일과 관련되지 않은 일에도 시간을 사용하자

성공을 위해 열심히 달려가는 3번 유형은 그 외의 일에 대해서는 시간을 사용하지 않으려고 한다. 그래서 취미활동조차도 하지 않는 경우가 있다. 물론 그 취미활동이 성공한 사람들과의 만남이라면 열일 제쳐두고 갈 것이다. 하지만 다른 목적이 전혀 없는 순수한 독서모임은 어떻겠는가. 그것은 시간 낭비일 수 있으니 참여할 이유가 없다고 판단할 것이다.

인간의 삶은 성공만을 위해서 모든 시간을 써야 하는 것이 아니다. 가족과 함께 시간을 보내는 것도 중요하며, 취미활동을 통해서도 즐거움을 얻을 수 있다. 성공을 위해 열심히 달려간 사람들이 나이를 먹고 후회하는 이유가 무엇인지 미리 알게 된다면 현재 성공을 향한 집착을 내려놓는데 도움이 될 것이다.

## 4번 유형
{특별함을 원하는 사람}

### 직접적이고 객관적으로 말하자

4번 유형은 매우 감정적이기 때문에 이들의 말을 들어 보면 이해하기 힘들 때가 있다. 자신의 기분을 상징적으로 표현하니 듣는 사람은 그 의미를 정확히 파악하는데 어려움을 겪게 된다. 말을 돌려서 하지 말고 직접적으로 표현하는 연습을 해야 한다. 주관적인 표현은 각 개인마다 다르게 해석할 가능성이 크기 때문에 객관적인 표현으로 전하는 노력을 해야 한다. 말은 나의 기분을 표현하는 목적도 있지만 상대가 알아듣게 전하는 목적도 있다는 것을 기억하자.

## 감정을 조절하고 부정적 감정에 빠지지 말자

4번 유형은 모든 유형 중에서 가장 감정적이라고 할 수 있다. 심한 기복을 보이는 감정을 효과적으로 관리하는 것이 필요하다. 마음챙김이나 명상과 같은 행동도 도움이 될 수 있다. 스스로 자신의 감정을 알아차리고 평정심을 유지하기 위해 노력해야 한다. 자신에게 맞는 대처법을 개발하여 감정을 잘 통제하자.

4번 유형은 부정적인 감정에 쉽게 빠진다. 그래서 동일한 이야기를 해도 자신에게 한 말로 받아들여 쉽게 상처를 받고 부정적으로 해석을 한다. 자신에게 떠오른 그런 부정적인 감정과 자신을 분리하는 것이 필요하다. 다음과 같은 생각을 해야 한다. 부정적인 감정으로부터 벗어나는데 도움이 될 것이다.

'이건 내 감정이 아니야. 그냥 잠시 떠오른 감정일 뿐이야.
곧 사라질거야'


## 커뮤니티에 참여하자

남들과 다른 자신만의 창조적 활동을 하기 때문에 사람들과 교류를 잘 하지 않는다. 다른 사람들이 자신을 잘 이해하지 못한다고 생각하기도 하기 때문에 교류를 피하게 되기도 한다. 하지만 이런 생활을 계속 하게 되면 결국 고립된 생활을 할 수밖에 없다. 의도적으로 다양한 커뮤니티에 참여하자. 특히 자신의 성향과 비슷한 커뮤니티에 참여하는 것은 그리 어려운 활동이 아닐 것이다.


## 평범해지자

4번 유형은 남들과 같은 모습을 보이는 것을 극도로 싫어한다. 외모뿐만 아니라 말과 행동에서도 남들과 다른 독특한 특징을 보여준다. 하지만 독특함에 너무 집착을 하다 보면 다른 사람들이 보기에 '이상함'이 되어 버린다. 그 독특함이 사람들과의 교류를 막아 대인관계에 문제를 만들 수 있다. 어느 정도는 평범해지는 것도 필요하며, 그것이 삶에 어떤 불편함도 주지 않는다는 것을 알 필요가 있다.


## 남들과 비교하지 말자

4번 유형의 부정적인 감정은 남들과 비교를 함으로 더욱 강화된다. 어떻게 보면 스스로 부정적인 감정을 만들기 위해서 남들과 비교를 하는 방법을 택한다고 볼 수 있다. 이런 방식의 최종 결론은 자신을 피해자로 만들게 된다. '나는 ~해서 불행하구나'라는 해석을 하는 것인데, 이것은 분명 '허위감정'이다. 잘못된 판단이니 남들과의 비교를 중단하자. 꼬리를 무는 허위감정은 자신을 더 불행하게 만든다.

# 5번 유형

{지식을 추구하는 사람}

## 완벽하지 않더라도 의견을 표현하자

5번 유형은 무언가를 할 때 상당한 수준까지 준비를 한다. 그 단계가 되기 전까지는 그 누구에게도 내용을 말하지 않는다. 다른 사람들은 벌써 자신이 준비한 것들을 자랑하고 공개했을 것이다. 5번 유형이 그렇게 하지 않는 이유는 아직도 더 많은 준비가 필요하다고 생각하기 때문이다. 더 공부하고 더 연구하는데 일반 대중은 그 정도로 깊은 수준의 내용을 원하지 않는다. 중간 단계에서 공개를 해도 문제가 되지 않는다는 것을 알아야 한다. 그렇지 않으면 사람들은 5번 유형이 무엇을 하는지 알 수 없다.

## 아무 때나 분석하지 말자

5번 유형은 어떤 정보를 듣게 되면 그것에 대해서 무의식적으로 분석을 하게 된다. 그런데 자료가 불충분하면 분석하는데 문제가 되니 더 많은 정보를 수집하기 위해서 상대에게 질문을 하게 된다. 모든 분석을 마치게 되면 5번 유형은 대책을 발표하게 되는데 이 정보를 말한 상대는 분석을 원하는 것이 아닐 수도 있다. 그리고 상대는 5번 유형의 계속되는 질문과 대책 제시에 대해서 부담감을 가질 수도 있다. 상대는 단지 공감을 하는 가벼운 수다를 원한 것일 수도 있다는 것을 알자.

## 감정을 사용하는 대화를 하자

5번 유형은 감정 표현을 잘 하지 않는 대표적인 유형이다. 이들과 대화를 하면 매우 건조하기 때문에 심심함을 느끼게 된다. 물론 5번 유형 스스로는 그렇게 생각하지 않는다. 5번 유형은 주된 관심이 분석이기 때문에 심심함을 느낄 겨를이 없지만, 분석을 원하지 않는 다른 사람들은 심심함을 곧 느끼게 된다. 5번 유형은 이런 분석의 대화가 습관이 되어 감정표현을 할 필요가 없는 것이다. 하지만 그렇게 분석만 할 수는 없다. 많은 사람들이 감정을 교환하며 대화를 하기 때문이다. 감정을 사용해 대화하지 못한다면 점점 고립될 수 있으니 당장 시를 한 권 사서 읽어보자. 어떤 식으로 감정 표현을 했는지 본다면 도움이 될 것이다. 물론 이때 시를 분석하는 행동은 잠시 내려놓자.


## 타인의 지원을 요청하자

5번 유형은 스스로 찾아보고, 스스로 이해하며, 스스로 판단하려는 성향이 강하다. 그래서 타인의 지원을 요청하는 일이 거의 없다. 이제는 다른 사람들에게 도움을 요청하자. 좋은 아이디어와 통찰력은 혼자 노력하는 것보다 모르는 불특정 다수와 함께 할 때 더 많이 얻을 수 있다. 고립되어 있지 말고 타인의 지원을 적극적으로 활용하는 것도 중요한 능력이다. 상부상조는 미덕이라는 것을 기억하자.

## 작은 움직임을 통해서 문제를 해결하자

5번 유형은 분석의 과정을 너무 깊게 들어가기 때문에 행동력이 매우 떨어진다. 더 많은 탐구를 통해서 문제를 해결하고자 하기 때문에 행동 없이 이론적으로 문제 해결을 하고자 노력한다. 그러다 보니 당장 급하게 움직여 문제를 해결해야 할 상황에서 당황해 주저한다. 그런 모습은 타인의 도움 요청에 소극적인 자세를 취하는 것처럼 보이며, 주변 이웃은 그런 모습에 실망을 하기도 한다. 문제 해결의 상당수는 작은 움직임만으로도 가능하다는 것을 알아야 한다. 작은 틈으로 물이 세는 것을 막는 것은 손가락 한 개로도 가능하다는 것을 그 누구보다 잘 아는 5번 유형이지 않은가.

## 6번 유형
{안전을 추구하는 사람}

## 불안감을 이겨내자

6번 유형은 어떤 일을 할 때 불안감이 먼저 나타나 시도를 하는 것을 매우 어려워한다. 대비를 한다는 효과는 있지만 시도하는 것 자체를 포기하게 만드는 불안감 때문에 어떤 일도 하지 못한다. 멋진 결과의 상당수는 불안감을 이겨내고 과감하게 시도를 한 결과라는 것을 알아야 한다. 작은 시도가 늘어나면 불안감을 견디는 마음도 강해질 것이다.

## 불안감으로부터 나온 질문을 줄이자

6번 유형은 자기 확신이 부족해 상대에게 계속적으로 질문을 한다. 이런 행동을 통해서 자신의 불안감을 줄이고자 하는 것인데, 상대는 점점 귀찮고 지치게 된다. 했던 질문을 또 하고 거기에 살을 붙여 끊임없이 질문을 하는 6번 유형은 상대방이 어떻게 받아들일지 생각해보는 것이 필요하다. 자신이 궁금해서 주변에 물어보는 것이 아닌, 불안감에서 나온 질문이라는 것을 인식해야 한다.

## 최악의 상황을 고려하지 말자

어떤 일이든 극과 극의 결과가 나타날 수 있다. 하지만 이 두 가지 결과는 너무 극단적이기 때문에 실제로 벌어질 확률은 매우 낮다. 그런데 6번 유형은 이 두 가지 결과 중에서 최악의 결과를 생각하는 경향이 있다. 최악의 결과는 잘 일어나지 않는다고 말을 해주면 6번 유형은 다음과 같이 질문을 이어간다.

"그래도 그런 일이 벌어지면 어떡해요?"

최악의 상황을 고려하면 이 세상에서 할 수 있는 것은 아무것도 없다. 6번 유형은 '그래도'라는 단어를 쓰지 않도록 주의하자.

## 의심을 줄이자

6번 유형의 두려움은 주변의 접근을 매우 경계하게 만든다. 주변에서 어떤 말을 듣게 되면 그 말의 의미를 해석할 때 다른 의도가 있을거라고 생각한다. 종종 그런 의심이 실제로 맞아떨어지게 되면 자신의 의심을 더욱 강화하기도 한다. 의심의 효과가 있었으니 그럴 수 있다. 하지만 주변의 모든 말이 그런 의도로 온 것이 아니며, 그렇게 의심을 해서 판단하게 되면 정신적으로 피곤해질 수 있다. 의심을 중단하지 않으면 머릿속에서 소설을 쓰기 시작하며, 다른 근거와 연결을 시켜 "맞아, 그런 의도가 있었군. 큰 일 날뻔 했어."라는 결론을 내리기도 한다. 자신은 추리를 통해 논리적으로 분석했다고 하겠지만 상대는 이런 이야기를 들었을 때 기겁하게 된다. 왜냐하면 모든 내용이 의심으로부터 시작한 소설이기 때문이다.

## 7번 유형
{재미를 추구하는 사람}

## 혼자만의 시간을 갖자

7번 유형들이 혼자만의 시간을 가질 때는 자신의 에너지가 모두 소진되었을 때밖에 없다. 항상 누군가를 만나 열정적으로 대화를 하는데 그 사이 잠깐 쉬는 것이 전부다. 이들은 밖으로 나가지 않으면 자신에게 문제가 있다고 생각한다. 그래서 집안에 정착을 하지 못하는데, 이제는 바쁜 일정을 만들지 말고 집에 머물며 혼자만의 시간을 보내보자. 전혀 문제가 되지 않는다는 것을 알게 될 것이며, 자신의 내면에 집중하는 시간을 보내게 될 것이다.

## 지식의 깊이를 추구하자

7번 유형은 다양한 분야에 관심이 많기 때문에 폭넓은 정보를 추구하는 모습을 보인다. 다양한 것을 좋아하다 보니 깊이 있는 지식을 추구하는 것과는 거리가 있다. 어느 한 가지에 집중하지 못하고 이것저것 산만하게 정보를 취합한다. 그래서 이들과 깊은 대화를 하려고 하면 거부감을 갖고 다른 이야기를 꺼내 회피하고자 한다. 하지만 진정한 발전은 깊이가 있는 토론과 분석을 통해서 가능하다는 것을 알아야 한다. 발전이 없는 농담의 대화만 하며 즐거워하지 말자.

## 조심하는 습관을 갖자

7번 유형은 6번 유형과 반대되는 면을 가지고 있는데, 6번 유형이 최악의 상황을 고려해 시도를 하지 않는다면 7번 유형은 낙관적으로 생각해 무조건 시도를 한다. 문제는 위험한 상황인데도 시도를 하다가 큰 사고를 당하는 경우가 많다는 것이다. 이들이 '괜찮아', '해 봐야 알지'라는 말을 주로 하는 것도 같은 이유에서다. 하지만 신중하지 않은 행동과 투자는 몸을 다치게 하며 전 재산을 날리게 할 수 있다는 것을 명심하자.


## 체계적으로 준비하자

7번 유형은 어떤 결정을 할 때 충동적으로 하는 경우가 많다. 원래 계획에 없었던 일인데 순간적으로 듣고 관심이 생겨 그것을 추진하게 되는 경우가 비일비재하다. 자신은 이런 모습에 대해서 '열정적'이라고 평가하지만 사실 '충동적'이라는 표현이 더 정확하다. 충동적으로 시작한 일은 그 열정이 식으면 중단하게 된다. 그래서 7번 유형은 중간에 중단한 프로젝트가 많다. 사업을 이어 나가다가 중간에 다른 것으로 갈아타는 일도 많이 벌어진다. 이런 슬픈 결과를 줄이기 위해서는 체계적인 준비가 필수적이다. 이 일을 왜 해야 하고, 어떻게 해야 하며, 어떤 준비를 지금 하고 있고, 자금은 어느 정도 준비가 되어 있으며, 얼마나 버틸 수 있는지 등의 세세한 내용을 작성하자. 성급한 시도와 중도 포기는 확연하게 줄어들 것이다.

## 변화가 있는 것을 선택하자

이 세상의 대부분의 일들은 반복된다는 특징이 있다. 잠을 자고 일어나 아침 시간에 할 일로 시작해 낮 시간을 보내고 저녁을 지나 다시 잠을 자는 일도 반복이지 않은가. 7번 유형은 반복되는 지루함을 견디지 못한다. 그래서 하루라는 일정 가운데 다양한 일들을 넣게 된다. 여행을 가더라도 동일한 장소에 가는 것보다는 전혀 가 보지 않은 새로운 곳에 가는 것을 더 선호한다. 식사를 하고 술을 마실 때도 이전에 갔었던 맛있는 곳을 또 가는 것보다는 새로 개업한 곳을 찾아간다. 직업을 선택할 때도 반복되는 업무를 하는 직장보다는 새로운 일을 계속 시도해야 하는 직장을 택하게 된다. 7번 유형은 처음부터 변화가 많은 업무의 직업을 선택하는 것이 좋다. 인생을 허비하지 않으려면 '변화'의 요소를 반드시 고려하자.


## 8번 유형
{강함을 유지하는 사람}

## 결단을 강요하지 말자

살다 보면 어려운 일들을 직면하게 될 때가 있다. 어렵다고 피할 수만은 없다. 그것을 극복하려면 강한 결단이 필요한데 이게 말처럼 쉽지 않다. 하지만 8번 유형은 어려운 것을 도전해 해치우는 것이 어렵지 않다. 결단은 마음만 먹으면 된다고 생각한다. 문제는 8번 유형이 결단하는 것을 다른 사람들도 동일하게 빠른 속도로 하기를 원한다는 것이다. 8번 유형은 며칠을 고민해도 어떻게 해야 할지 결단을 할 수 없는 사람들이 많다는 것을 알아야 한다. 그들은 결단을 강요하면 오히려 더 큰 부담을 느껴 그 일에서 빠지려고 한다. 모든 사람들에게 급박한 결단을 요구하는 것을 줄일 필요가 있는데, 효과는 없고 자신만 나쁜 사람으로 인식될 수 있기 때문이다.

## 공손하게 말을 하자

8번 유형의 말투와 표정은 매우 강한 인상을 남긴다. 반말을 한다든지 위협적인 표정을 통해서 상대보다 자신이 강하다는 것을 표현한다. 8번 유형은 자신만이 '강함' 표현을 원하지 다른 사람들은 그렇지 않다는 것을 알아야 한다. 강함의 표현은 상대에게 공격성을 드러내는 것이며 싸우자는 의도로 해석될 수 있기에 주의해야 한다. 공손하게 말을 하는 것은 절대로 상대에게 굽신거리는 비굴한 태도가 아닌 친절한 예의라는 것을 기억하자.

## 응징과 보복을 하지 말자

살다 보면 누구나 화가 날 상황들을 겪게 된다. 그때 그 화를 잘 처리하지 못하면 큰 사고로 이어질 수 있어 참는 것도 중요한 삶의 지혜이자 기술이라고 할 수 있다. 그런데 8번 유형은 참는 것을 '진다'로 여겨 결국 참지 못해 사달이 일어나게 된다. 문제는 화를 참지 못해 강한 응징이나 보복을 해서 상대를 굴복시키고자 한다는 점이다. 8번 유형에게는 화를 다스리는 것이 다른 유형보다 몇 배는 더 필요하다는 것을 기억해야 한다.

## 때로는 약함을 인정해도 괜찮다

8번 유형은 동료애를 갖고 있어 사람들과 함께하는 시간을 즐기지만 친밀한 관계를 맺는 것은 어려울 수 있다. 왜냐하면 이들은 '강함'을 유지하는 것이 중요하며 자신의 연약함을 드러내는 것을 꺼리기 때문이다. 8번 유형이 강한 면모를 드러낼수록 주변 사람들은 거리감을 느끼게 되며 때로는 겁을 먹기도 한다.

어려운 일이겠지만 때로는 자신의 연약함을 인정하고 표현하지 못했던 감정도 표현해보자. 이러한 솔직함을 통해 동료들은 8번 유형이 자신들을 아끼고 사랑하고 있음을 알 수 있게 된다.

## 다른 사람들의 의견을 존중하자

회의를 하는 이유는 가장 좋은 의견을 도출해내기 위이다. 그런데 결정권자가 8번 유형이라면 자신의 마음대로 결론을 낼 가능성이 크다. 오랜 시간 동안 회의를 한 사람들은 당연히 허무함을 느끼게 될 것이다. 가장 좋은 의견을 찾고자 한 회의가 아니라 8번 유형의 마음에 드는 의견이 나오기를 기다린 회의였던 것이다. 8번 유형이 리더인 곳에 아부쟁이가 많은 이유는, 이런 회의를 몇 번 겪게 되면 사람들은 리더의 의중이 무엇인지 파악하는데 집중하게 된다. 하지만 점점 자신들이 존중받지 못하고 있다는 것을 알게 되니 사람들은 점점 떠나게 된다. 8번 유형은 아무리 사소한 의견이라도 존중하는 모습을 가져야 한다. 그것이 진정한 리더의 모습이다. 존중하지 않는 강한 리더는 독재자일 뿐이다.

## 9번 유형
{안정을 추구하는 사람}

### 주도성을 키우고 자신을 신뢰하자

9번 유형은 도전하는 것을 꺼린다. 왜냐하면 도전하는 것 자체가 마음에 불편을 주기 때문이다. 실제로 자신이 뭔가를 주도적으로 한 경험이 많지 않기 때문에 자신을 신뢰하지 못하는 특징도 있다. 자신에게도 능력이 있고, 남들과 다른 장점이 있다는 것을 인정하자. 이런 생각은 자기 신뢰로 이어지게 될 것이다.

## 작은 것부터 시도하자

9번 유형은 새로운 시도를 해 보라는 말을 많이 듣게 된다. 그만큼 새로운 것을 시도하는 것이 어려운 유형이다. 9번 유형의 소극적인 행동으로 인해 주변에서 많은 동기부여를 하게 되지만 그렇게 하다가 지치는 사람들이 많다. 왜냐하면 결국 어떤 행동도 하지 않기 때문이다. 시도하는 부담을 줄여주는 것이 필요하다. 작은 것부터 시작해서 점점 그 크기를 크게 늘려가야 한다. 무조건 '피하기'를 했던 습관을 중단하고 작은 시도부터 시작하자.

## 불편한 상황도 직면하자

9번 유형과 이야기를 하다가 "그것을 왜 하지 않았어?"라고 물으면 "부담스러워서 그래."라는 답변을 많이 듣게 된다. 다른 유형들은 이 답변에 대해서 대체적으로 이해를 하지 못한다. 불편한 상황이 생길 수도 있는 것이 삶 아닌가. 작은 불편함도 견디지 못하는 9번 유형과 대화를 하다 보면 지칠 때가 많다. 9번 유형은 무조건 피하고자 하는 방식을 중단해야 한다. 이 세상에 혼자 살지 않는 이상 오해하는 일, 불평하는 일, 따지는 일, 강요하는 일, 설득하는 일은 꾸준히 일어난다. 불편한 상황이 벌어지면 무조건 피하고자 하지 말고 직면하는 연습을 하자. 왜냐하면 해결은 직면을 한 후에야 가능하기 때문이다.

## 편승해서 가려고 하지 말자

9번 유형은 자신만의 주장이 없으니 뭘 물어봐도 '괜찮아', '나도 그렇게 할게', '같은 걸로 할게' 라는 답변을 주로 한다. 하지만 이런 대답은 '주도적인 동의'가 아닌 '자기 주장이 없는 허용'이라는 것을 알아야 한다. 이렇게 되면 앞으로 9번 유형에게 의견을 묻는 것 자체를 하지 않게 될 수도 있다. 왜냐하면 질문을 해봤자 동일한 답변이 나오기 때문이다. 주변에서 9번 유형의 의견을 묻지 않으니 소외되는 섭섭함을 느끼게 되는데 사실 자신이 초래한 결과다. 스스로 비중이 없는 사람이 되고자 노력하면서 그런 사람은 되기 싫어하는 이중성을 보이는 것이다.

9번 유형은 자신의 생각을 정리해서 말하는 연습을 해야 한다. 자신이 원하는 것을 주장하고, 실제로 원하는 결과를 만들어 보자. 다른 사람의 주장과 의견에 함께 편승해서 가려고 해서는 안 된다. 그것은 그저 여행을 떠나는 기차에 유령으로 탑승해서 가는 것과 같다. 자기의 좌석이 분명히 있고 정당한 서비스를 받으면서 여행을 가는 것이 정상적인 모습이다.


## 누워 있지 말자

9번 유형은 주로 집에서 누워 있을 가능성이 크다. 혹자는 그런 모습을 보고 '게으르다'라고 단순히 결론지어 말하기도 한다. 물론 그렇게 누워 있어 아무것도 하지 않는 것은 게으른 것과도 같다. 그런데 근본적인 동기와 연결해서 살펴보는 것이 필요하다.

9번 유형은 왜 주로 집에서 누워 있는 시간이 길까? 그것은 무언가를 하는 것을 피한 결과의 모습이기 때문이다. 어떤 것을 하는 부담을 피해 집에 왔고, 집에 와서도 스트레스가 없는 가장 편한 동작이 누워 있는 것이다. 오랫동안 해보니 이보다 더 평온한 자세는 없다는 결론을 내리게 된 것이다. 누워 있는 시간이 길다 보니 실제로 생산성을 위해서 사용하는 시간이 짧은 편이다. 당연히 일을 잘 못한다는 평가를 받기도 한다. 이제는 일어나서 게으르다는 평가에서도 벗어나고, 일을 못한다는 평가에서도 제외되기 위해 노력하자.

지금까지 9가지 유형의 자기계발 전략을 살펴보았다. 자신을 계발하기 위해서 고질적인 자신의 집착을 확인하고 그것을 중단하는 것이 필요하다. 무엇을 중단하고 무엇을 시작해야 할지 알게 되었을 것이다. 더 나은 능력자가 될 수 있는 방법을 알게 되었다. 지금 그 해결책을 알게 되었다고 빨리 시작하라는 말은 아니다. 절대 부담감을 갖지 말자. 급하게 뺀 살이 금방 다시 찌듯 마음에서 받아들일 시간도 없이 시도하는 행동은 그리 오래가지 못한다. 옷에 물이 한 방울씩 스며들듯이 이 책에서 말하는 자기계발 전략도 조금씩 스며들도록 노력하자. 그러면 어느 순간 바뀌어 있는 자신의 모습을 발견하게 될 것이다.

[ 2 ]

# 01_
# 팀 의사소통

# 팀에서의 에니어그램

앞에서는 '나'라고 하는 개인 입장에서 유형의 특징을 살펴보았다. 이번 장에서는 조직 내 '팀'에서의 유형별 특징을 알아볼 것이다. 각 유형이 팀에서 어떤 방식의 의사소통을 사용하는지 알게 된다면 팀을 더욱 발전된 모습으로 이끌게 될 것이다. 여기에서 말하는 의사소통은 언어적인 측면뿐만 아니라 비언어적인 측면까지도 포함한다.

에니어그램은 '성격'을 '가면'이라는 관점으로 바라본다. 자신이 고집하고 있는 성격이 가면이라는 것을 자각하게 된다면 팀에서 자신의 성격만을 고집하는 모습은 줄어들게 될 것이다. 또한 팀원들에 대한 이해를 통해 그들의 강점·역량·갈등이 되는 요소를 알고, 피드백은 어떻게 할지, 하나의 팀이 되어 어떻게 성과를 낼지 그 방법을 알게 될 것이다. 에니어그램을 팀에서 사용하게 된다면 당신은 다른 사람들이 갖지 못한 지혜를 가지게 되었다고 자부해도 좋다. 이 책은 당신을 팀에서 그 누구보다도 지혜로운 사람으로 만들어 줄 것이며, 건강한 팀 문화를 만드는데 일조하는 사람으로 만들어 줄 것이다.

# 의사소통

**①**

## 1번 유형 - 의사소통 방식

{완벽을 추구하는 사람}

'완벽주의자' 또는 '개혁가'라고 부르는 1번 유형은 질서·완벽·규칙·원칙 준수 등에 대해서 강한 열망을 가지고 있다. 그래서 자신의 핵심 동기인 '완벽'과 '옳음'을 따지는 언어적·비언어적 특성을 보여준다. 다음의 문장들을 보자.

해야 한다, 하지 않으면 안 된다, 하는 것이 당연하다, 반드시 해야 한다, 반드시 필요하다, 훌륭하다, 정확하다, 좋다, 맞다, 아니다, 틀렸다

위 문장들은 1번 유형이 정한 기준에 따른 언어적 표현들이다. 어떤 의견을 듣게 될 때 그것을 평가할 수 있는 자기만의 기준이 명확해 1번 유형의 평가적 반응은 즉각적이다.

# 1번 유형 - 언어적 의사소통
{완벽을 추구하는 사람}

## 적확과 명확

1번 유형은 말의 적확성[1]을 추구한다. 그래서 자신의 생각과 아이디어를 전달하기 위해 적확한 단어를 사용한다. 또한 명확한 방식으로 자신의 의견을 표현하기 때문에 1번 유형의 말을 알아듣는 것은 어렵지 않다. 하지만 너무 딱딱하거나 직선적이어서 불편해하는 사람들도 있다.

## 증거를 통한 논리적인 말

자신의 관점과 주장을 구조화되고 조직화된 말로 상대에게 전달한다. 그래서 자신의 진술을 뒷받침하는 사실이나 증거 자료들을 잘 준비한다. 준비된 자료들을 논리적으로 구성해 전달하기 때문에 1번 유형의 말에는 힘이 있다.

## 잘못된 정보 바로잡기

자신의 주장을 입증하기 위해 구체적인 예·사실·수치 등 세부적인 것을 잘 제공한다. 이러한 모습은 상대를 당황스럽게 만들기도

---

[1] 的確性, 조금도 틀리거나 어긋남이 없이 정확하고 확실함

한다. 1번 유형은 상대가 불편해 하더라도 대화 중에 마주치게 되는 부정확하고 불일치하는 내용들의 사실을 바로 잡는 모습을 꾸준히 보여준다.

## 직접적으로 전달

말을 할 때 직접적으로 내용을 전달하기 때문에 모호한 의사소통이 벌어지지는 일이 별로 없다. 추상적인 단어 사용을 즐기지 않는다. 내용을 직접적으로 전달하기 때문에 1번 유형의 말은 매우 정확하다. 자신의 생각과 의견을 공개적이고 직설적으로 표현할 때 어떤 꼼수를 숨겨두거나 하지는 않는다. 그래서 의사소통을 통한 의견 전달이 매우 빠르게 진행이 된다.

## 1번 유형 - 비언어적 의사소통
{완벽을 추구하는 사람}

## 경직된 자세

자신과 타인에 대한 통제 기준을 가지고 있어 항상 긴장감을 유지하고 있다. 경직된 자세 때문에 목과 어깨에 통증을 많이 느끼는 편이다. 1번 유형의 꼿꼿하고 바른 자세는 자신감과 진지함의 표현이기도 하지만 경직된 부자연스러운 모습도 함께 보여주는 것이다.

## 심각한 얼굴 표정

세부적인 것에 집중을 하기 때문에 얼굴 표정은 항상 심각한 편이다. 생각이 더 깊어지거나 새로운 불만이 생기게 된다면 이들의 심각한 얼굴 표정은 더 많이 일그러지게 된다. 눈썹과 미간을 찌푸리거나 뭔가에 집중하는 눈빛이 매우 강렬하게 될 때가 있다. 그럴 때 주변 사람들은 더욱 큰 불편함을 느끼게 된다.

## 격식과 예의

1번 유형은 격식을 중요하게 여기기 때문에 상대에게 적절한 인사를 함으로 예의를 표현한다. 개인 공간을 갖거나 상대와 일정한 거리를 유지함으로 상대에게 불편함을 주지 않고자 노력한다. 식당이나 카페에서 아이들이 떠들도록 내버려두는 부모와는 거리가 멀다.

# 1번 유형 - 의사소통 강점
{완벽을 추구하는 사람}

## 명확성과 구조

1번 유형은 다른 사람들이 쉽게 이해할 수 있도록 메시지를 잘 전달하는 편이다. 대화의 내용이 명확해 상대가 이해하는 것이 어렵지 않다. 상대의 이야기를 들을 때는 복잡한 개념까지도 잘 이해하는데, 그 이유는 논리적으로 말의 내용을 분해하여 잘 조합하기 때문이다. 어떤 내용을 들었을 때 그 의미 파악이 어렵다면 1번 유형에게 묻자.

## 건설적인 비판

1번 유형은 상대의 말에서 오류를 잘 파악한다. 또한 무엇을 개선해야 할지 잘 감지하고 그것을 직설적으로 표현한다. 그래서 건설적인 피드백을 할 수 있는 강점을 가지고 있다. 이들을 '개혁가'라고 부를 수 있는 이유이기도 하다. 1번 유형의 비판에 대해서 비난이라고 오해를 하는 사람도 있지만, 개선을 위한 의도가 있다는 것을 기억하자.

## 규칙 지키기와 높은 기준

1번 유형은 규칙 지키는 것을 중요한 가치로 여긴다. 규칙을 지키지 않고 어떤 일을 진행하는 것은 용납할 수 없다. 손해를 보더라도 정해진 규칙 안에서 해결하고자 하며, 다른 사람들도 규정을 따르도록 강요한다. 하지만 모든 사람들이 1번 유형처럼 기준 따르는 것을 중요하게 생각하는 것은 아니다.

사소한 것까지 예민하게 지키기 때문에 혹자는 1번 유형에 대해서 융통성이 없다고 말한다. 1번 유형이 정한 기준과 타인이 보는 기준에는 큰 차이가 있다. 물론 1번 유형이 정한 기준대로 했을 때 좋은 결과를 가져올 가능성은 큰 편이다. 다만 그것을 다 지키려고 하니 너무 빡빡한 압박이 느껴져 피곤하다.

## 1번 유형 - 의사소통시 주의점
{완벽을 추구하는 사람}

## 아무 때나 피드백 하지 않기

1번 유형은 아무 때나 타인을 피드백하려고 하는데 이 점을 주의할 필요가 있다. 직설적인 피드백은 상대에게 상처가 될 수 있다는 것을 알아야 한다. 1번 유형은 상대의 감정보다는 피드백의 내용을 더 중요하게 생각해 직설적인 발언을 중단하지 않는다. 하지만 피드백을 전달하는 방법과 시점, 상대방의 상태도 중요하다는 것을 받아들여야 한다. 그렇지 않으면 말로 상처를 주는 일은 계속 이어질 것이다.


## 사소한 항목 줄이기

어떤 일을 할 때 완벽하고 세세하게 진행하는 것은 좋은 자세라고 할 수 있다. 하지만 매번 너무 상세한 항목까지 따지게 되면 상대가 힘들어할 수 있다. 심지어 사소한 것까지도 그렇게 한다면 누가 함께 하겠는가. 마치 일부러 꼬투리를 잡고자 노력하는 사람으로밖에 보이지 않을 것이다. 어느 정도 사소한 것은 따지지 말고 넘기는 것도 필요하다.


## 평가하는 말 줄이기

1번 유형은 타인의 모습에 대해서 평가하는 말을 곧잘 하는 편이다. 이것은 그 당사자의 기분을 매우 불쾌하게 만들 수 있다. 타인을 평가하는 자세를 줄여갈 필요가 있다. 아무리 맞는 말이더라도 지적하는 말을 기분 좋게 받아들이는 사람은 없다. 또한 자신의 말이 항상 맞다고 생각해서는 안 된다. 나의 기준에 맞지 않다고 상대를 잘못되었다고 평가할 수는 없다. 그것은 상대의 가치관을 공격하는 것과도 같다. 잘못된 것을 고친다는 명분으로 말로 상처를 주는 행동을 해서는 안 된다.


## 칭찬하기

1번 유형에게 평가를 자제하라고 조언을 해도 그것이 쉽지 않다는 것을 1번 유형도 잘 알 것이다. 부정적인 피드백만 할 것이 아니라 상대를 평가하는 말을 했다면 곧바로 긍정적인 피드백도 함께 제공하자. 물론 칭찬을 하는 것은 1번 유형에게 매우 어색한 행위다. 하지만 이제부터라도 상대를 보고 비판할 점만 떠올리지 말고 칭찬할 점도 찾아보자. 분명 인정할 만한 장점이 있다는 것을 발견하게 될 것이다. 칭찬도 하다 보면 습관이 될 수 있으며, 1번 유형에게 칭찬을 받은 사람은 그 고마움이 훨씬 크다.


## 몸과 마음 이완시키기

1번 유형은 상대의 잘못된 점을 먼저 보게 되며, 그때 그 말을 전하기 위해서 머릿속으로 많은 고민을 하게 된다. 점점 몸과 마음은 경직되기 시작한다. 이런 과정을 자주 겪게 되니 1번 유형의 자세는 항상 경직되어 있다. 그러니 타인의 장점을 발견하며 칭찬을 할 겨를이 없다. 이럴 때 말을 건네면 가시가 달린 상처의 말이 나오게 된다. 이런 악순환을 줄이기 위해서 1번 유형은 먼저 자신의 마음을 열어야 한다. 긴장을 바짝 한 사람의 말을 듣고 마음을 열 사람은 아무도 없다. 깊게 숨을 쉬는 것을 자주 해 보자. 말을 할 때도 단도직입적으로 주제를 전달하지 말고, 충분한 설명을 통해 서서히 주제 내용을 전달하자.

## 타인의 피드백 경청하기

타인에게 비판을 잘 하는 1번 유형이 자신에게 향하는 피드백에 대해서는 어떤 자세를 취할까? 1번 유형이 자신을 비판하는 피드백을 받게 되면 그것을 방어하는 자세를 취하게 된다. 그런데 상대의 피드백 내용을 들어 보니 맞는 내용이라는 판단이 서면 자책을 하기 시작한다. 1번 유형은 피드백을 할 때 다음과 같은 생각을 하는 것이 도움이 될 것이다.

내가 동의하는지 아닌지는 나중에 판단하자.
지금은 열린 마음으로 경청하자.

## 2번 유형 - 의사소통 방식
{도움을 주는 사람}

'돕는 사람' 또는 '봉사자'로 알려진 2번 유형은 따뜻함·공감·봉사·희생에 대해서 강한 욕구를 가지고 있다. 자신의 핵심 동기인 '사랑'과 '인정'을 따지는 언어적·비언어적 특성을 보여준다. 다음의 문장들을 보자.

내가 해줄게, 도와줄게, 이거 가져도 돼, 같이 가자

2번 유형이 인정을 받고 싶을 때 사용하는 말이다. 이런 표현은 상대를 기분 좋게 만들 수도 있지만 어떤 경우에는 너무 오지랖이 넓은 부담스러움으로 다가갈 수 있다. 또는 아첨하는 표현도 될 수 있어 상황에 맞게 잘 사용하는 것이 중요하다.

## 2번 유형 - 언어적 의사소통
{도움을 주는 사람}

### 공감과 감정적 언어

2번 유형은 다른 사람들의 감정을 매우 잘 이해한다. 상대방의

114    팀

입장을 잘 파악하고 공감하는 표현을 상대에게 잘 전한다. 대화 내용을 보면 대부분 감정을 표현하는 말이 주를 이루며, 분석을 하거나 주장을 하는 말은 거의 없는 편이다. 이런 대화 방식은 2번 유형에게 착한 이미지를 선사한다.

## 격려와 인정

2번 유형은 부정적인 피드백을 하는 1번 유형과는 달리, 상대방을 격려하고 인정하는 말을 잘 한다. 부정적인 피드백의 말은 거의 나오지 않는다고 봐도 무방하다. 개선과 발전을 위해서 단점을 지적해달라고 해도 그 말을 하지 못한다. 2번 유형에게 말로 상처를 받는 사람은 극히 드물다.

## 주의 깊은 경청

경청이 중요하다는 것에 이의를 제기할 사람은 없을 것이다. 2번 유형만큼 상대방의 말에 주의를 기울이는 사람도 없을 것이다. 항상 상대에게 관심을 갖고 있으며 상대의 말에 적극적으로 경청한다. 2번 유형은 어느 누구와도 상호 작용을 할 수 있다. 물론 이런 2번 유형의 관심을 불편해하는 사람들이 있는데, 거리를 두는 욕구를 가진 사람들이 그렇다. 하지만 대부분의 사람들은 진정한 관심을 보이는 2번 유형의 모습에 매력을 느낀다.

## 관계 구축

2번 유형은 대인관계에서 강점을 드러낸다. 사람들 사이의 관계 구축에 매우 큰 관심을 보인다. 이들은 사람들 사이에서 매우 친밀한 모습을 보이는데, 타인에게 쉽게 자신의 개인적인 일화를 공유하기도 한다. 이것은 먼저 자신의 마음을 열어 보여주는 것이다. 상대가 어려운 이야기를 꺼내놓더라도 이들은 그 어려움을 감싸주고 돕기 위해서 노력을 한다.

## 2번 유형 - 비언어적 의사소통
{도움을 주는 사람}

### 스킨십[2]

2번 유형은 적절한 신체 접촉을 통해서 상대에게 호감을 준다. 악수를 하는 것, 등을 두드리는 것, 팔이나 어깨를 만지는 것 등을 통해서 상대와 쉽게 친밀해진다. 선을 지키는 것이 중요한데 상대가 불편을 느끼지 않을 정도의 스킨십이어야 한다. 상대를 진정으로 생각하는 마음과 그에 걸맞는 스킨십이 함께 작동하게 되는 2번 유형을 싫어할 사람은 없어 보인다.

---

[2] 정식 영어단어는 아니지만 이미 한국에선 고유한 단어가 되었기에 그대로 사용한다.

## 표정과 몸짓

2번 유형의 표정에는 상대에 대한 따뜻함, 연민, 관심 등이 담겨 있어 표정만으로도 상대방의 마음을 열 수 있다. 감정이입을 잘하기 때문에 상대방의 말에 다채로운 얼굴 표정으로 반응을 잘 한다. 미소를 짓는 것뿐만 아니라 눈썹의 움직임도 다양하다. 상대는 2번 유형이 자신에 대해서 따뜻한 관심이 있다는 것을 느낀다. 2번 유형의 공감과 격려를 받게 될 때 마음이 열리고 설득이 되는 것도 이런 이유 때문이다.


## 부드러운 목소리와 어조

2번 유형은 표정과 몸짓뿐만 아니라 말에서도 부드러움이 느껴진다. 상대방에 대한 연민을 표현할 때 2번 유형의 말에는 매우 큰 위로의 효과가 담겨 있다. 사람들마다 스타일이 다르고 처한 상태가 달라 상대방이 오해를 하지 않도록 부드럽게 말하는 것이 필요한데, 2번 유형은 그런 조절이 가능해 '다른 사람 중심적'인 모습을 잘 보여준다. 의사소통에서 정보를 전달하는 것뿐만 아니라 상대를 지지하고 위로까지 하는 2번 유형은 훌륭한 커뮤니케이터이다.

## 2번 유형 - 의사소통 강점
{도움을 주는 사람}

### 풍부하고 매력적인 표현력

상호작용은 대부분 말로 이루어지지만 2번 유형은 말 외에 몸짓, 표정 등도 사용해 자신의 생각을 잘 전달하는 편이다. 논리적인 설득보다 '감성적인 설득'을 잘할 수 있는 유형이다. 이들의 말에 논리가 부족하더라도 풍부한 표현력 덕분에 동의를 하게 되는 사람들이 많다.

### 필요 예측

협상을 할 때는 상대가 무엇을 필요로 하는지 예측하고 판단해가며 적절한 시점에 나의 목적을 드러내야 성공률이 높은데, 2번 유형은 상대가 요청하기 전에 먼저 나서서 도움을 준다. 상대를 향한 세심한 배려가 없다면 이런 행동은 할 수 없다. 상대는 이들의 배려에 감동을 해서 결정을 하게 될 수도 있다.

## 2번 유형 - 의사소통시 주의점
{도움을 주는 사람}

## 필요한 거절은 과감히 하기

타인에게 거절이나 부정적 피드백을 전하는 것은 쉬운 일이 아니다. 2번 유형에게 이것은 가장 힘든 일 중 하나다. 하지만 사회 생활을 하다 보면 거절도 해야 하고 부정적 피드백을 해야 할 때도 있다. 2번 유형은 거절하거나 부성적 피드백을 전하면 상대와의 관계에 문제가 생길까봐 실행하지 못한다. 일부러 부정적일 필요는 없지만 필요할 때는 부정적인 의견도 과감히 표현할 수 있어야 한다. 이럴 때는 사람과 일을 분리해서 생각하고 표현하는 것이 도움이 된다.

## 부정에 대한 인식 바꾸기

2번 유형은 부정적인 의견을 담담하게 받아들이는 것이 필요하다. 상대방이 자신을 무시하려는 의도로 부정적인 의견을 전달한다고 생각해서는 안 된다. 의견 그 자체에 집중을 하자. 내용만 보면 부정적으로 평가를 하는 것이 무엇인지 정확히 알 수 있다. 그렇지 않으면 부정적인 피드백을 받을 때마다 크게 상심하게 된다. 부정적인 것은 '무조건 안 좋다' 또는 '사람을 민망하게 만든다' 등으로 해석을 해서는 안 된다. 부정에 대한 인식 자체를 바꾸면 내 의견보다 더 좋은 의견이 많을 수 있다는 것을 인정하게 될 것이다.

## 애매하게 말하지 않기

2번 유형은 상대의 기분을 나쁘지 않게 하려고 말을 돌려서 하는 경우가 많다. 이때 상대가 다음과 같이 질문을 하는 경우가 있다. "솔직하게 말해줘. 내가 고쳐야 할 게 뭐야? 나도 내가 어떤 문제가 있는지 알고 싶어." 상대가 이렇게 물을 때 2번 유형은 정말로 솔직하게 말할 수 있을까? 여전히 상대에게 직설적인 말은 피해 답변을 할 것이다. 그런데 유형에 따라서 분명하게 말하는 것을 더 좋아하는 유형도 있다. 분명하게 말하는 것은 용기 있는 행동이다. 2번 유형은 상대가 어떻게 반응할지 걱정이 되어 애매하게 말하는 것이다.

## 상대가 원할 때 도움 주기

도움이 필요할 때 도와달라고 말하지 못하는 사람이 있다. 이들에게 2번 유형의 도움은 큰 효과가 있다. 상대방이 도움을 필요로 하지 않는데도 도와주는 유형이 있으니 2번 유형이 그렇다. 그런데 이런 도움은 상대를 불편하게 만들기도 한다. 상대를 기분 나쁘지 않게 만들고자 가장 노력하는 유형이 실제로는 상대를 기분 나쁘게 만들고 있는 것이다. 이런 도움의 의도에 2번 유형의 자기 만족을 위한 목적이 담겨 있다는 것을 알아야 한다. '나는 돕는 사람이야'라는 정체성을 충족시키기 위해서 돕는 것이다. 예를 들어, 김장을 할 상황에서 벌어지는 내용을 보자. 2번 유형은 다음과 같은 말

팀

을 하기도 한다.

"내가 가서 김장을 담글게. 재료만 다 사다놔. 아니다.
 재료도 내가 사서 갈게. 다른 일정 잡지 말고 내일 낮에 집에 있어."

이렇게 말을 한다면 모든 사람들이 좋아할까? 그렇지 않다. 매우 큰 부담을 느끼는 상대도 있다. 이런 식의 도움은 상대를 가치가 없는 사람으로 느끼도록 만들 수도 있으니 주의해야 한다.


## 오해받는 것을 두려워하지 않기

사람은 누구나 살면서 오해를 살 때가 있다. 서로 생각하는 것도 다르고, 바라보는 것도 다르기 때문이다. 나의 일부분만 보고 나를 오해하는 사람들이 있는데, 상대는 나에 대한 모든 진실을 알 수 없기 때문에 어쩔 수 없는 상황이기도 하다. 하지만 이럴 때마다 상심하게 된다면 그 스트레스는 이루 말할 수 없이 커진다. 어느 정도의 오해는 견뎌야하며 때로는 그냥 넘기는 것도 필요하다. 오해는 시간이 해결해주는 경우가 많다.

오해가 벌어졌을 때 잘 견디는 사람들이 있다. 이들은 모든 오해에 대해서 그때마다 해명하지 않는다. 그냥 아무 일이 없었다는 듯 넘기며 시간이 해결해주기를 기다린다. 2번 유형은 이들의 지혜를 배울 필요가 있다. 이들에게 조언을 구하면 "좀 기다려봐. 시간이 다 해결해 줄 거야. 일일이 대응하면 그게 더 힘들다고."라고 말을 한다.

## 3번 유형 - 의사소통 방식
{성공지향적인 사람}

'성취자' 또는 '성공주의자'라고 부르는 3번 유형은 성공에 대한 열망이 매우 강하다. 그래서 목표 지향적인 모습을 보여주며 그에 해당하는 말을 주로 사용한다.

내가 잘할 수 있는 일인가?

나의 성공에 도움이 되는가?

어떤 이득이 있는가?

과연 누가 알아주는 일인가?

# 3번 유형 - 언어적 의사소통
{성공지향적인 사람}

## 자신감과 확신

3번 유형은 말을 할 때 자신감이 넘쳐 보인다. 두려움이 없으며 확신에 찬 말을 한다. 성취를 위한 자신의 포부도 분명하고 단호하게 전달하기 때문에 3번 유형을 따르는 사람들도 많다. 특히 고민이 많고 우유부단한 유형 입장에서 봤을 때 3번 유형은 매우 신뢰가 가는 유형이다.

## 목표 지향적, 결과 중심적

3번 유형은 성취를 하는 것이 중요하기 때문에 말을 할 때도 그런 내용의 표현을 사용한다. 목표를 달성하기 위해서 어떻게 할 것인지에 대한 전략적인 이야기를 많이 한다. 반대로 목표를 이루는 데 도움이 되지 않는 것에는 관심을 보이지 않는다. 결과를 만들어 내기 위해서 가능한 모든 방법을 사용하자고 제안을 하는데, 이때 두려워하는 말을 하거나 불가능하다는 식으로 말을 하는 사람이 있다면 그 사람과는 함께 하지 않는다.

## 적응형 커뮤니케이션

3번 유형은 융통성이 매우 많다. 자신이 원하는 결과를 만들어 내기 위해서 원칙을 허물고 융통성을 발휘하는 것이 전혀 어렵지 않다. 다양한 사람들을 만나고, 여러 상황이 펼쳐지더라도 3번 유형은 자신이 무엇을 해야 할지 잘 안다. 이때 사용하는 대화 방식이 '적응형 커뮤니케이션'이다. 카멜레온과 같은 모습으로 상황과 대상에 따라 언어, 어조, 태도를 쉽게 조정한다.


## 뛰어난 설득력

자신감에 가득찬 3번 유형의 말을 듣다 보면 그 말을 따르는 것이 가장 좋은 방법인 것처럼 느껴진다. 주제에 해당하는 근거 예시를 들어 말하기 때문에 이해하는데 어려움이 없다. 말을 길게 하지 않고 명료하면서도 효율적으로 말을 한다. 3번 유형만큼 일에 집중된 말을 하는 사람도 없을 것이다. 3번의 일중심적인 의사소통은 다른 사람들에게 영향을 크게 미친다. 설득력이 강한 주장으로 결국 다른 사람의 의견을 이기고 자신의 의견을 펼쳐나가게 되는 경우가 많다.

# 3번 유형 - 비언어적 의사소통
{성공지향적인 사람}

## 세련되고 전문적인 외모

3번 유형에게 외모는 매우 중요하다. 형편없는 외모는 성공과 거리가 멀기 때문에 용납하기 힘들다. 다른 사람들의 외모를 보고 그 사람을 평가하기도 하지만 자신의 외모를 가꾸는 것에도 관심이 많다. 멋진 이미지를 잘 유지하며 발전시켜 나가는데 능력이 있다. 이들의 잘 관리된 이미지는 상대에게 큰 신뢰를 준다.

## 생동감 있는 얼굴 표정

얼굴 표정에서 생동감이 느껴지기 때문에 그 누가 보더라도 열정적인 사람이라고 생각하게 된다. 눈썹을 올렸다 내렸다 하면서 미소를 지으니 3번 유형의 미소를 부러워하지 않을 수 없다. 이들과 눈맞춤을 하면 그 매력에 빠지게 된다. 3번 유형과 대화를 할 때 지루함은 전혀 느낄 수 없고, 대화에 몰입하는 것이 어렵지 않다. 즐거운 대화라고 대부분 느끼게 된다.

## 자신감 있는 몸짓

3번 유형의 자신감은 말뿐만 아니라 움직임에도 드러난다. 일을 완수하기 위해서 말뿐만 아니라 몸짓도 잘 활용하는 것이다. 상대의 눈을 직접 마주치며 말을 하고, 자기 확신을 표출하기 위해서 자신감 있는 제스처를 취하기도 한다. 이들의 몸짓은 주의를 끌기 때문에 관심을 모으는데 효과적이다. 하지만 너무 의도적인 목적이 담겨 있다고 느끼는 사람도 있다. 표현력이 풍부하고 역동적일 수 있지만 그것을 부담스럽게 느끼는 사람도 있다.

## 통제된 감정 표현

3번 유형은 성공을 위해 자신의 감정을 조절하고 통제한다. 감정적인 모습이 되면 너무 연약하고 나약한 모습이 될 수 있기 때문이다. 실제로 대화를 해보면 감정적인 표현은 자제하려는 것이 느껴질 것이다. 감정적인 상황이 되면 신세한탄만 하게 되고 그것은 성공과는 거리가 멀어지게 되는 것이라고 생각한다.

## 3번 유형 - 의사소통 강점
{성공지향적인 사람}

## 성공 지향 언어

3번 유형은 성공에 관련된 말을 많이 한다. 그것은 그들의 머릿속에 성공에 대한 집착이 가득하기 때문이다. 그래서 '성공하는 방법'을 알려주는 것에 관심이 많고, 자신이 직접 그 일을 하는 주체가 되기도 한다. 성취·성공·명성·명예는 이들이 강조하는 단어들이다.


## 스토리텔링과 동기부여

3번 유형은 스토리텔링에 능숙하다. 이야기를 풀어가며 다른 사람들에게 영감을 주는데 능력을 가지고 있다. 이들의 이야기를 듣다 보면 동기부여가 되지 않을 수 없다. 자신의 경험과 타인의 경험을 모두 끌어다 쓸 수 있으며, 그것으로 목표를 세우고 함께 하자는 제안을 하기도 한다. 그 내용을 들어보면 성공을 하지 않을 수 없다는 것을 알게 된다. 그래서 함께 하는 사람들이 생기는 것이다.


## 네트워킹 및 관계 구축

3번 유형은 네트워킹을 만들고 싶어 한다. 왜냐하면 다양한 인맥은 성공에 도움이 되기 때문이다. 또한 그들에게 내가 성공했다는 것도 전할 수 있다. 그래서 다양한 사람들과 대화를 할 수 있는 모임을 만들거나 그런 모임에 참여를 많이 하는 편이다. 만남이 이루어지면 그 사람들과 관계를 구축하는데 탁월한 재능을 보여주는데,

사람들 사이에 도움을 주고 받을 수 있는 연결을 구축하며 특별한 기회들을 잘 만들어 나간다. 자신뿐만 아니라 다른 사람들의 성취와 열망에 대해서도 관심을 보인다.


## 3번 유형 - 의사소통시 주의점
{성공지향적인 사람}

### 성과에 대한 언급 줄이기

3번 유형은 직간접적으로 자신의 성과에 대해서 언급을 한다. 그 모습은 자신에 대해서 자랑을 하는 것처럼 보일 수 있고, 성공을 향한 욕심이 가득찬 사람으로 비칠 수도 있다. 3번 유형은 자신의 성공 이야기에 대해서 전혀 관심이 없는 사람도 있을 수 있다는 것을 알아야 한다. 상황과 상대에 맞게 대화의 내용을 조절하는 것이 필요하다.


### 타인에게 관심 갖기

3번 유형이 말하는 성공담을 모든 사람들이 좋아하는 것은 아니다. 아무리 대단한 이야기라 할지라도 오로지 자신의 무용담만 열정적으로 이야기한다면 상대는 어느 순간 그 자리를 어떻게 빠져나

팀

갈 것인가 고민을 하게 된다. 그리고 다음부터는 함께 대화하는 것을 꺼려 자리를 피할 것이다. 자신의 이야기를 주로 하는 대신 주변 사람들에게 관심을 가져보자. 상대는 고마움을 느끼고도 남을 것이다.


## 솔직하게 표현하기

3번 유형이 성공에 대한 욕심이 많다고 실제로 성공을 하는 것은 아니다. 실패를 한 사례도 많을 것이다. 그것을 상대가 알게 되는 것만큼은 가장 피하고 싶은 것이 3번 유형의 마음이다. 그래서 어떤 내용은 부풀리거나 줄이고, 근사한 내용을 추가하게 되기도 한다. 또한 실패한 사례들은 말하지 않음으로 잘한 결과만 가지고 있는 사람으로 포장한다. 이것이 3번 유형의 '자기 기만'이다. 하지만 진실이 밝혀지면 거짓말이라는 비난이 쏟아지게 될 수 있으니 처음부터 이런 과장은 하지 않는 것이 좋다. 사람은 누구나 실패를 하고 그 실패를 통해서 많은 것을 배우게 되니 실패를 말하는 것을 두려워할 필요가 없다. 솔직하게 표현을 하다 보면 별 문제가 없다는 것을 알게 될 것이다.


## 일과 자신을 동일시하지 않기

모든 사람들이 일을 할 때 목표 달성을 위해서 최고의 노력을 하는 것은 아니다. 일이 잘 되지 않거나 불편한 감정이 일어날 때 시작한 일을 중단하기도 한다. 물론 그것은 무책임한 모습일 수도 있다. 3번 유형은 이런 결과를 만들지 않기 위해서 감정의 사용을 줄인다. 오로지 일을 완성하는 것에만 집중하는 것이다. 하지만 다른 사람들은 3번 유형과는 달리 감정의 변화에 많은 영향을 받게 된다. 3번 유형은 일을 완성하지 못하는 사람들에게 압박을 하게 되는데 이때 감정의 처리에 대한 문제가 발생한다. 다른 유형들은 3번 유형처럼 자신과 일을 동일시하지 않는다. 그런데 동일시하라고 강요를 하니 갈등이 점점 커지게 되는 것이다. 이쯤되면 사람들로부터 이런 말이 나온다.

이런 감정 상태에서 어떻게 계속 하라는 거야?

우리를 전혀 이해하지 못하나? 사람이 어쩜 저래? 해도 너무 하네!

## 4번 유형 - 의사소통 방식
{특별함을 원하는 사람}

'개인주의자' 또는 '낭만주의자' 라고 부르는 4번 유형은 '남들과 다른 독특함' 에 대한 열망이 있다. 그래서 핵심 동기인 '특별함' 과 '독특함' 을 추구하는 언어적 · 비언어적 특성을 보인다. 일단 감정적으로 풍부한 표현을 사용한다. 이런 점에서 바로 이전에 본 3번 유형과는 매우 다른 의사소통 방식을 사용한다는 것을 알 수 있다. 자신의 생각과 느낌을 깊이 있고 강렬하게 전달하는 대화법을 사용한다. 다음의 문장들을 보자.

(우울한 날씨 상황에서) "이런 분위기 너무 좋지 않아요?"
(선물을 줄 때) "당신에게 이것이 새로운 의미를 가져다 줄 거예요."
(단체 활동을 할 때) "전 이런 행동은 좀 아니라고 생각해요."

평범하지 않은 발언을 할 경우가 많다. 특히 사회생활에서는 분위기를 깨는 발언이 된다. 자신만의 지나친 감정 표현이기도 하다. 전체를 위해서 자신의 생각은 잠시 접어둘 필요도 있는데 그렇게 하지 못한다. 그리고 매우 불편한 기색을 내비친다. 그래서 4번 유형의 대화 스타일과 그 의도를 이해하는 것이 매우 중요하다.

## 4번 유형 - 언어적 의사소통
{특별함을 원하는 사람}

### 자기 성찰적 표현

'성찰'[3]이라는 단어가 정확히 무슨 의미를 담고 있는지 아는가?

---

[3] 자기의 마음을 반성하고 살핌

종교나 수행에서 사용하는 단어처럼 보일 수 있다. 4번 유형은 '자기 성찰'을 하는데, 이것은 자신의 마음에 대해서 고민하고 그것을 표현한다는 것을 의미한다. 개인적으로 느낀 내면의 이야기를 표현할 때 다른 사람들은 그것을 독특하다고 받아들인다. 왜냐하면 다른 유형들은 4번 유형만큼 자기 성찰을 하지 않기 때문이다.

## 진정성과 개성

'진정성'과 '개성'은 별개의 단어인가? 이 두 단어는 매우 연결되어 있다. 4번 유형은 내면의 이야기를 솔직하게 표현한다. 내면에서 떠오르는 감정을 그대로 표현하기 때문에 다른 사람들은 4번 유형을 독특하다고 말한다. 그 독특함에는 '감정기복'과 '자기비하'의 감정도 포함된다. 자신의 내면을 그대로 표현하는 '진정성'은 결국 남들과 다른 '개성'을 의미하기도 한다. 4번 유형은 다른 사람들과는 다른 자신의 것을 그대로 드러낸다. 이런 모습을 생소하게 받아들이는 사람들이 많다.

## 예술적 표현

4번 유형은 남들과 다른 창의적인 답변을 제공한다. 자신의 생각과 감정을 예술적으로 표현하는데, 대표적인 방법이 '은유'[4]다. 풍

[4] 사물의 상태나 움직임을 암시적으로 나타내는 수사법

부한 상상력을 표현할 때 은유를 사용한 시적 묘사나 스토리텔링 기법은 매우 효과적이며 매력적이다. 물론 이런 표현에 대해서 너무 주관적이고 명확하지 않다고 말을 하는 사람도 있지만, 의미를 곱 씹게 된다는 점에서 감성적인 기쁨을 주는 것도 사실이다.

## 4번 유형 - 비언어적 의사소통
{특별함을 원하는 사람}

### 풍부한 얼굴 표정의 장단점

4번 유형은 풍부한 감정을 표현하기 위해서 얼굴 표정도 다양하게 사용한다. 어떻게 보면 언어로 다 표현할 수 없는 것을 표정으로 뒷받침하고 있는 것이다. 얼굴 신호를 통해서 4번 유형의 감정을 살펴볼 수 있다는 장점도 있지만, 반대로 그 감정의 눈치를 보게 되는 불편함도 있다고 할 수 있다. 과한 것은 모자람만 못하다는 말도 있듯이 감정의 과잉이 다른 사람들에게는 불편하게 느껴질 수 있다.

### 비순응적 개인주의 스타일

4번 유형은 옷차림이나 외모를 통해서 자신만의 스타일을 표현하는데 매우 뚜렷한 개성을 보여준다. 남들과 다르고자 하는 4번 유형의 욕구가 이들의 개성을 만든 것이다.

혹자는 4번 유형이 남들의 시선을 생각하지 않는다고 비판을 하지만 이들은 남에게 보여주기 위해서 개성이 강한 외모를 고집하는 것이 아니다. 남들과 다르고 싶은 자신만의 욕구를 표현하는 것뿐이다. 이것은 사회 생활을 할 때 '비순응적'이라는 평가를 하게 만들기도 한다. 조직의 문화에 순응해 함께 행동할 필요가 있을 때도 4번 유형은 전혀 그렇게 하지 않는다. 요즘 시대는 이런 개인주의 성향에 대해서 많이 이해하고 존중하게 되었지만 불과 한 세대 전만 하더라도 매우 큰 문제였었다. 지금은 오히려 '멋있다'라는 평가를 하는 시대가 되었으니 4번 유형에게는 매우 다행이다.


## 몸짓으로 표현

4번 유형은 풍부한 표정 외에 적극적인 몸짓도 사용한다. 떠오르는 감정을 전달하기 위해서 손과 몸을 사용하는 것이다. 4번 유형의 몸짓은 요점을 강조하거나 언어 표현에 깊이를 더하는 효과를 준다. 상대로 하여금 집중을 하게 하는 매력적인 몸짓은 4번 유형의 강점이 되기도 한다.

자신의 감정을 춤으로 표현하는 4번 유형도 있는데, 대중적인 춤이 아니기 때문에 묘한 분위기를 연출한다. 이 또한 예술적인 모습으로 나타난다.


팀

## 자기 성찰적 몸짓

4번 유형이 적극적인 몸짓만 사용하는 것은 아니다. 자기 성찰을 하기 때문에 고개를 기울이거나 먼 곳을 바라보며 성찰의 시간을 보내는 경우가 있다. 그런 점에서 충동적으로 말을 하지 않고 충분히 자신의 내면을 바라본 후에 말을 한다. 적극적이지 않은 이들의 모습은 생각이 많은 것처럼 보여 답답할 때도 있다.


## 매력적인 눈맞춤

4번 유형은 다른 사람들과 대화를 할 때 깊은 감정적 연결을 추구한다. 그래서 상대와 강렬한 눈맞춤을 유지하는 모습을 보여준다. 이때 상대방은 4번 유형의 매혹적인 시선을 느끼게 된다. 상대 또한 이들의 눈맞춤을 피하지 못해 함께 집중하게 된다. 이성적으로 호감이 가는 4번 유형과 이런 눈맞춤을 하게 된다면 짝사랑에 빠지게 되는 것은 시간 문제다.


## 에너지와 분위기에 대한 민감성

4번 유형은 주변 환경의 에너지와 분위기에 매우 동요된다. 현재 머물고 있는 공간의 분위기에 쉽게 반응하여 신체 언어나 자세에 미묘한 반응을 보이게 된다. 혹자는 이런 4번 유형의 모습에 대해서

'너무 민감하다', '감정기복이 심하다' 등의 말을 하게 된다. 이들은 새로운 장소에 갔을 때나 비가 오는 흐린 날씨일 때 특별히 더 큰 감정의 변화를 보인다.

## 4번 유형 - 의사소통 강점
{특별함을 원하는 사람}

### 진정성 있는 감정 표현

4번 유형은 풍부한 감정을 다양한 방식으로 표출할 수 있다. 언어, 표정, 몸짓 등으로 표현할 때 최대한 자신의 내면을 담아서 솔직하게 표현한다. 이들의 표현을 보고 있으면 대부분의 사람들이 매력을 느끼게 된다. 4번 유형의 분위기에 감동을 느끼게 되는 이유다.

### 사람에 대한 궁금증 유발

의사소통은 말을 서로 주고 받는 것이다. 서로의 말에 평범함이 많다면 어느 정도 예상되는 답변을 듣게 된다. 하지만 4번 유형의 말에는 평범함이 거의 없다. 어떤 답변을 듣게 될지 예상이 안 되니 상대는 자연스럽게 집중을 하게 된다. 상대는 이들의 개성적인 이야기를 듣고 이 사람은 어떤 사람일까 궁금증을 갖게 된다. 더 자세히

팀

알고 싶어 다음 만남을 기대하게 된다.


## 매력적인 표현

독특한 내용의 말을 할 뿐만 아니라 표현도 평범하지 않다. 강렬한 눈맞춤을 하거나 다양한 몸짓을 사용함으로 상대는 더욱 4번 유형의 말에 몰두하게 된다. 상대는 평소에 느낄 수 없는 매력을 이들로부터 느끼게 된다. 반복되고 무료했던 일상을 보낸 사람이라면 4번 유형과의 대화가 매우 신선할 것이다. 평소에 받지 못한 다양한 표현의 선물들을 이들로부터 받게 되는 것이다.


## 4번 유형 - 의사소통시 주의점
{특별함을 원하는 사람}

## 과도한 '나' 표현 줄이기

4번 유형은 '나는', '나의', '나의 것'처럼 '나'에 대한 표현을 많이 사용한다. 자신의 감정을 잘 표현하다 보니 '나'를 주어로 사용한 표현이 많은 것이다. 4번 유형이 사적인 질문 또는 개인적인 이야기를 나누는 경우가 많은 것도 같은 이유다. 이제는 '나'의 언급을 줄여 보자. 개인적인 표현을 줄이고 객관적인 단어의 사용을 늘리는 것을 추천한다. 그러면 개인적인 감정 표현에 대한 이야기뿐만 아니라 객관적으로 해야 할 말도 잘 사용할 수 있게 된다.

## 과도한 감정이입 줄이기

어떤 주제를 이야기할 때 4번 유형은 그것을 객관적으로 바라보는 것이 아니라 자신의 감정을 이입하여 상대의 감정을 느끼려고 한다. 그런 과도한 감정이입은 자신을 힘들게 할 수 있다는 것을 알아야 한다. 대화할 때 감정을 느끼며 표현하는 것은 중요하지만 과도한 감정 사용은 감정 변화에 너무 휘둘리는 결과를 가져올 수 있다. 때로는 감정을 배제하고 객관적으로 바라보는 것도 필요하다. 그렇지 않으면 쉽게 넘어갈 수 있는 일을 넘기지 못하고 혼자 스트레스를 받으며 고립될 수도 있다.

## 부정적인 감정과 분리되기

4번 유형은 부정적으로 생각을 하는 경향이 있다. 자기비하나 질투의 감정이 떠올라 자신을 부정적인 상태로 만들게 된다. 이런 감정이 떠오를 때 그 감정을 자신과 분리하는 것이 필요하며 이것이 가능해질 때 긍정적인 말을 할 수 있게 된다. 그동안 부정적인 감정과 자신을 동일시했지만 이제는 그 감정으로부터 벗어나야 한다.

## 우울함으로부터 빨리 빠져나오기

4번 유형의 감정기복은 특별한 이유 없이 일어나며 그때마다 주변 사람들을 힘들게 만든다. 상대는 이유도 모른 채 4번 유형의 감정변화 피해자가 된다. 감정기복이 오래 가게 되면 우울함으로 연결된다. 매일 우울한 감정을 느껴 고립되며, 더 위험한 경우 극단적인 선택을 하기도 한다. 스스로 우울함의 상태가 오래 가지 않도록 벗어나기 위한 노력을 해야 한다. 자신이 피해와 희생을 당하고 있다는 허위감정을 느끼고 있을 가능성이 크니 그 감정으로부터 빨리 빠져나오자. 그것은 건강하지 못한 감정 상태의 모습이니 머물 필요가 없다.

## 5번 유형 – 의사소통 방식
{지식을 추구하는 사람}

'분석가' 또는 '탐구자'라고 부르는 5번 유형은 지식에 대한 집착을 가지고 있으며, 당연히 지식적인 언어적·비언어적 특성을 보인다. 이런 특성은 4번 유형이 보여준 감정 사용의 소통과는 매우 다르다. 다음의 문장들은 5번 유형이 자주 사용하는 표현들이다.

그렇게 판단을 한 이유가 무엇인가요?

제가 더 자세히 알 수 있는 방법이 있을까요?

자료는 어디에서 찾아야 할까요?

그 내용은 논리적으로 관련이 없는 것 같은데요.

논점에서 벗어난 말을 하고 있습니다.

# 5번 유형 - 언어적 의사소통
{지식을 추구하는 사람}

## 신중함과 정확함

5번 유형은 매우 신중하게 생각을 한 다음 말을 하기 때문에 정확한 의사소통이 가능하다. 추상적인 표현을 사용하지 않음으로 내용에 대해서 서로 간의 오해는 잘 발생하지 않는다. "지금 말씀하신 '느낌이라는 단어'는 정확히 어떤 의미로 사용하신 걸까요?"와 같은 질문을 잘 하는 편이다. 주관적인 판단이 들어간 단어는 서로가 다르게 해석할 수 있기 때문에 정확한 판단을 하기 위해서 질문을 하는 것이다. 이들에게 논리적이지 않은 '느낌적인 느낌'이라는 표현은 사용해서는 안 되는 것이다.

## 깊은 지식의 대화

5번 유형은 별 의미가 없는 수다 형식의 대화는 좋아하지 않으며, 어떤 주제에 대해서 깊은 지식을 나누는 것을 좋아한다. 그래서 타인이 보기에 5번 유형의 대화는 토론이며, 지적인 대화처럼 보인다. 5번 유형 입장에서는 관심이 있는 주제에 대해서 이야기를 하는 것이지만 다른 사람이 보기에는 깊은 지식을 나누는 것이다. 심지어 그 지식을 나눈 후에는 분석을 하게 되는데 아무 생각 없이 수다를 떠는 사람에게는 이런 깊은 지식의 대화가 부담스럽다.

## 관찰·경청·과묵

이들은 어떤 주제에 대해서 이야기를 나눌 때 주의 깊게 관찰을 한다. 단지 지금의 느낌을 가지고 대화를 하지 않는다. 그래서 다른 사람의 말도 경청하는 것이 필연적인데 그 이유는 정보의 수집만큼 중요한 것은 없기 때문이다. 원하는 정보가 다 나오지 않으면 질문을 이어가게 된다. 이런 모습은 5번 유형이 과묵한 모습을 유지하는 것처럼 느끼게 만들지만 이런 과묵은 말을 하고 싶지 않아서 그런 것이 아니다. 충분한 정보를 얻고 그것을 분석한 후에 말을 해야 하기 때문에 그렇다.

## 개인 정보 노출에 민감

5번 유형은 자신의 개인 정보를 공개하는 것에 대해서 매우 민감하다. 이들이 개인 정보를 공유한다면 그것은 매우 친밀한 대상에 한정된다. 사람들과 거리를 두는 것처럼 보이며, 비밀을 가지고 있는 것처럼 보일 수 있다. 하지만 신중하게 생각하는 5번 유형의 입장을 생각해보면 이해가 된다. 개인 정보나 사생활이 노출될 때 그것이 어떤 결과를 가져올 지 예상이 되기 때문이다.

## 간결하거나 매우 길거나

5번 유형의 신중함 때문에 말을 할 때 매우 간결하게 전달할 거라고 예상했다면 그것은 물론 맞는 말이기도 하다. 군더더기 없이 할 말만 딱 전달하기 때문에 간결한 것도 맞다. 하지만 이와는 반대로 매우 길게 말을 할 때도 있다. 다른 사람들은 결과만 전달하지만 5번 유형은 정확한 지식을 전달해야 하기 때문에 그 설명 내용이 길 수 있다. 무엇을 전달하느냐에 따라 말의 길이가 길 수도 있고 짧을 수도 있는데, 만약 긴 대화를 한다면 그것은 수다가 아닌 자세한 설명의 대화인 것이다.

## 5번 유형 - 비언어적 의사소통
{지식을 추구하는 사람}

### 차분한 표정과 자세

5번 유형의 신중함은 표정과 자세에도 반영된다. 항상 차분한 자세를 일관되게 보여주지만 속으로는 어떤 생각을 하고 있는지 예측하기 힘들다. 항상 절제된 표정을 짓기 때문에 그 속을 알 수 없다. 감정을 많이 사용하는 4번 유형이 보았을 때는 감정 자체가 없는 것처럼 느낄 수 있다. 5번 유형과 대화를 하다 보면 흥분된 감정을 내려 놓게 되며, 객관적으로 판단을 하는 자세를 자연스럽게 취하게 된다.

### 경청

5번 유형은 매우 주의 깊은 자세로 경청을 한다. 상대방이 무슨 말을 하는지 그 의미를 정확히 파악하기 위해서 상대쪽으로 약간 몸을 기울이고 상대의 눈을 마주친다. 정보를 충분히 파악한 후에야 5번 유형의 말이 시작된다. 2번 유형처럼 상대의 말을 경청하지만 상대가 무슨 말을 하는지 정확히 알기 위해서 집중하는 모습이다.

## 최소한의 제스처

5번 유형은 최소한의 제스처만 사용한다. 즉, 몸의 움직임이 거의 없다는 것이다. 심지어 표정의 변화도 거의 없다. 이들은 상대의 동의를 이끌어내기 위해서 의도된 움직임 또한 사용하지 않는다. 과장되거나 불필요한 움직임은 최대한 피하면서 정확한 정보 전달에 집중하는 모습을 보인다. 표정 변화를 통해서 상대의 감정을 읽고자 하는 사람은 이들에게 답답함을 느끼기도 한다.

## 개인 공간의 필요성

5번 유형은 자신만을 위한 개인적 공간을 소중히 여긴다. 5번 유형이 사람들과 대화를 할 때 상대와 어느 정도 거리를 유지하는데 이 또한 같은 이유 때문이다. 누군가 너무 가까이 있는 것, 특히 관계가 없는 사람들과 함께 있는 것이 불편하다. 친밀함이 형성되지 않은 사람과 함께 있는 것만큼 불편한 것은 없다. 이런 5번 유형에게 자신만을 위한 공간이 제공된다면 이보다 편한 환경은 없을 것이다. 그래서 다함께 지내는 단체 생활이 이들에게는 매우 불편한 상황이 아닐 수 없다.

팀

# 5번 유형 - 의사소통 강점
{지식을 추구하는 사람}

## 간결한 요점 정리

5번 유형은 상황을 빨리 파악하고 문제점을 정확히 분석할 수 있다. 복잡한 혼돈 상태에 빠져 있을 때도 상황을 빨리 파악해 지금의 현실에 대해서 간결하게 정리해 말을 할 수 있다. 내용을 장황하게 말해 요점이 무엇인지 알 수 없는 발표를 하는 사람들이 있는데 5번 유형은 그와는 반대 스타일이다. 군더더기 없는 효율적인 대화 방식을 선호하기 때문에 발표가 길어지거나 다른 길로 빠지게 되는 일은 벌어지지 않는다.

## 지적 깊이

5번 유형의 대화 내용을 보면 특정 분야에 대해서 깊이가 있다는 것을 알 수 있다. 알고자 하는 분야에 대해서 탐색을 하기 때문에 전문가 수준의 정보를 말할 수 있다. 다른 사람들이 볼 때는 매우 지적인 사람처럼 느껴진다. 추상적인 개념이나 이론에 대해서도 이야기하는 것을 어렵게 생각하지 않는다.

## 사실과 근거 요청

5번 유형은 사실에 기반한 대화를 원하기 때문에 데이터나 근거를 묻는 경우가 많다. 아무런 근거가 없는 이야기에 대해서는 바로 의문을 갖고 그 출처가 어떻게 되는지 반드시 묻는다. 5번 유형과 반대되는 사람은 '카더라 통신' 정도의 말도 그냥 믿는다. 자신에게 좋다고 하니 손해볼 것이 없다고 판단해 믿는 것이다. 하지만 5번 유형은 잘못된 정보를 믿고 따르는 것조차 자신에게 손해가 된다고 생각한다.

5번 유형의 사실과 근거 요청은 부정적인 사람이라는 시선을 갖게 만들기도 한다. 매사에 의심을 하고 부정적으로 생각하는 것처럼 생각하는 사람들도 있지만 이들은 믿고 따를 수 있는 근거를 요청하는 단계를 거치는 것뿐이다. 현재는 과거와는 달리 이런 요청이 매우 중요하며 당연시되고 있다. 이런 요청은 사기를 당하는 것으로부터 자신을 보호하는데도 매우 중요하게 작용한다.


## 침묵과 분석

사람에 따라서 침묵을 하는 여러 가지 이유가 있을 수 있는데 5번 유형의 침묵은 생각을 하는 시간이 필요하기 때문에 벌어지는 모습이다. 이들은 결론을 짓기 전에 반드시 정보를 수집하고 분석의 과정을 거칠 시간이 필요하다. 분석을 하다가 더 필요한 내용이

팀

있다면 상대에게 질문을 해서 원하는 정보를 받아낸다. 최종적으로 나온 결과에는 이들의 통찰력이 반영되어 있다. 이 단계까지 가는 동안 침묵의 과정은 반드시 필요한 것이다.

## 5번 유형 - 의사소통시 주의점
{지식을 추구하는 사람}

### 상대도 알 거라고 생각지 않기

5번 유형은 특정 분야에 대해서 매우 깊은 지식을 가지고 있다. 다른 사람들과 대화를 할 때 서로의 정보의 양을 보면 차이가 있다는 것을 바로 알게 된다. 5번 유형은 이미 알고 있는 내용을 상대방은 모를 수 있다. 5번 유형은 그냥 말을 하는 것이지만 상대는 그런 지식이 없어 알지 못하는 일이 벌어진다. 5번 유형은 상세한 설명을 포함해 말하는 것이 필요하다. 예를 들어 조선시대 역사를 말할 때 상대가 조선의 왕들 이름과 순서를 모를 수 있으니 몇 대 왕 누구인지, 어떤 일을 했는지에 대한 정보도 함께 전달하는 것이 좋다.

### 상대의 관심 정도 파악하기

모든 상대가 나의 깊이 있는 이야기에 관심을 가지는 것은 아니다. 관심이 있더라도 어느 정도까지만 괜찮지 그 이상의 내용에는 관심이 없을 수 있다. 상대가 어떤 상태인지 확인하지 않고 나 혼자 깊은 정보를 전달하는 대화를 하는 것은 상대를 불편하게 만들 수 있다. 예를 들어 원자력발전소에 대해서 이야기를 한다고 해보자. 상대는 원자력발전소라는 단어만 사용하는 수준을 원할 수 있다. 그런데 5번 유형은 원자력발전소의 원리에 대해서 이야기를 하니 대화의 분위기가 어떻게 될지 예상이 될 것이다. 상대는 물리학적인 원리에 대해서 관심이 없을 뿐만 아니라 과거 학창시절 물리학을 좋아하지 않았던 기억까지 떠올려야 한다.


## 감정의 대화 사용하기

모든 사람들이 5번 유형처럼 논리적이고 분석적인 대화를 하는 것은 아니다. 반대로 감정의 대화를 주로 사용하는 사람들도 있다. 이들은 글을 쓸 때도 감정이 이끄는 글을 쓰고, 결정을 할 때도 감정이 더 쏠리는 쪽을 선택한다. 논리적인 판단에 대해서는 크게 관심이 없다. 이들은 논리적인 생각을 해본 적이 거의 없을 것이다. 이런 사람들에게 5번 유형의 말은 감정이 결여된 불편한 느낌을 주는 지시와 명령처럼 느껴질 수 있다.

팀

## 6번 유형 - 의사소통 방식
{안전을 추구하는 사람}

'충성가' 또는 '회의자'라고 부르는 6번 유형은 자신이 결정하는 것에 대해서 불안해하는 특징을 보인다. 이런 성격적인 면으로 인해 의사소통에서도 안전·충성·위험 예측·의심 등의 대화 모습을 보여준다. 다음의 문장들은 6번 유형이 자주 사용하는 말이다.

~는 어떻게 하는게 좋을까요?

전 ~에 대해서 결정하지 못하겠어요.

전 못하겠는데요. 위험하지 않을까요?

제가 할 수 있을까요? 전 잘 모르겠어요.

다른 사람에게 시키는 것이 나을 것 같아요.

## 6번 유형 - 언어적 의사소통
{안전을 추구하는 사람}

### 안심 확인을 위한 질문

6번 유형은 의사소통에서 안심을 위한 확인 과정을 거친다. 자신의 생각과 아이디어를 표현하지 않는 것은 아니지만 다른 사람들의 확인이나 지원을 구한다. 그 이유는 자신의 걱정과 우려를 완화시켜야 하기 때문이다. 이런 모습은 상대의 말을 수용하고 집중하는 것처럼 보이지만 실제로는 그런 의도가 아니다. 자신의 불안함을 해결하고자 상대에게 꾸준히 질문하고 답변을 듣는 것이다. 그렇다고 상대의 답변을 반영하는 것도 아니다. 조언을 듣더라도 "그래도 ~ 게 되면 어떻게 하지?"라는 불안의 말이 이어진다.

## 걱정이 많은 질문

6번 유형도 5번 유형처럼 질문이 많지만 그 의도는 완전히 다르다. 5번 유형은 정확한 근거를 확인하기 위해서 질문을 한다면, 6번 유형은 자신의 불안감을 잠재우기 위해서 질문을 한다. 마치 어린 아이들이 주사를 맞으러 병원에 가면 "주사 아파? 형은 주사 잘 맞았어?"와 같은 질문을 쏟아 놓는 것과 같다. 걱정이 되는 자신의 감정을 상대에게 질문함으로 해결하고자 하는 것인데 문제는 그렇게 한다고 두려움이 사라지지 않는다는 점이다. 성숙하지 못한 아이의 모습과 같다고 다음과 같이 훈계를 들을 수 있다.

"이제 스스로 판단해서 결정해. 언제까지 물어볼거야."

# 6번 유형 - 비언어적 의사소통
{안전을 추구하는 사람}

## 경계하는 자세

6번 유형은 어디에 어떤 위협이 있을지 모르기 때문에 항상 경계심을 갖고 있다. 그렇다고 주변의 위협에 대해서 강하게 맞받아치는 것은 아니다. 그저 불안한 마음을 붙잡고 대처를 할 뿐이다. 그래서 긴장감을 항상 유지하고 있다. 이런 이유로 새로운 것을 시도하는 모습은 거의 보기 힘들다.

## 걱정스러운 표정

두려움으로 인해 걱정이 항상 많으며 그 마음이 표정으로 그대로 드러난다. 동일한 상황에 대해서도 다른 유형들보다 더 큰 걱정을 하기 때문에 표정에 근심이 많이 나타난다. 불안한 눈빛, 찌푸린 눈썹, 긴장된 턱선 등이 느껴질 수 있다. 두려움이 얼굴에 드러나니 상대에게 신뢰를 주지 못할 수 있다. 6번 유형의 불안함을 상대도 느끼는 것이다.

## 근접한 거리 유지하기

힘든 일이 있을 때 친한 지인들을 만나 대화를 나눔으로 어려움을 해결하는 경우가 있는데, 6번 유형은 이런 방법을 좀 더 많이 활용한다. 자주 떠오르는 불안감을 해결하기 위해서 주변 사람들을 자주 만난다. 사람들과 근접한 거리를 유지하는데 다른 사람들로부터 위로와 지원을 더 쉽게 받기 위해서다.


## 6번 유형 - 의사소통의 강점
{안전을 추구하는 사람}

### 세부적인 내용 공유

6번 유형은 자신의 마음이 놓일 수 있는 구체적인 내용을 원한다. 안전한지 아닌지 확인하기 위해서 자세한 내용을 요구하게 되는 것이다. 그래서 6번 유형이 제출하는 보고서를 보면 상세하게 조사되어 있다는 것을 알 수 있다. 누군가 6번 유형이 정리한 것을 받는다면 미처 예상치 못한 내용이 있다는 것을 보고 칭찬을 할 것이다. 상세한 내용에 대한 대화가 필요할 때는 6번 유형과 이야기를 하자.


### 위험에 대한 대비

6번 유형의 말을 들어 보면 위험에 대한 대비를 항상 하고 있다는 것을 알 수 있다. 너무 최악의 상황을 걱정하는 것이 아니냐고 말할 수 있지만 사고는 예상과 다르게 찾아오기 때문에 대비는 안

팀

하는 것보다 과한 것이 더 낫다. '유비무환'[5]이라는 고사성어가 가장 잘 어울리는 유형이다. 걱정을 많이 하는 만큼 실제로 큰 문제가 벌어지는 일은 별로 없다. 그래서 어떤 모험과 같은 일을 결정할 때는 6번 유형에게 말을 해 의견을 들어 보는 것이 좋다.

## 안정적인 선택

안정에 대한 욕구가 있어 충동적인 판단을 하지 않는다. 변화에 잘 적응하지 못한다고 말하는 사람도 있지만 잘못된 변화에 편승하여 최악의 상황을 만드는 실수를 하지 않는 장점이 있다. 어떤 의견을 듣게 되었을 때 성급하게 결정을 하기 보다는 세심하게 따져보고 잘 안 되었을 때의 상황에 대한 대책을 질문함으로 상황을 안정적으로 이끌어 나간다. 미처 생각지 못한 점까지 준비를 해야 한다고 말하는 6번 유형의 말은 유비무환의 장점을 되새기게 해준다.

## 6번 유형 - 의사소통시 주의점
{안전을 추구하는 사람}

## 안정적인 분위기 만들기

6번 유형은 업무적으로 성장하기 위해서는 안정적인 주변 환경

---

[5] 有備無患, 준비가 있으면 근심이 없다는 뜻

을 만들 필요가 있다. 그렇지 않으면 불안한 마음 때문에 일이 손에 잡히지 않을 수 있다. 자신을 지지해주는 사람들과 대화를 하는 시간을 갖는다든지, 친한 지인들이 준 선물을 책상에 놓는 것도 도움이 될 수 있다. 새로 들어간 직장에서는 이런 환경이 준비되지 않아 첫날부터 걱정과 불안에 휩싸여 아무것도 하지 못할 수 있다. 어느 시점부터 군입대를 할 때 동반입대를 허용하게 되었는데 6번 유형의 남자에게는 매우 좋은 조건이 아닐 수 없다.

## 최악의 상황 따지지 않기

6번 유형은 일이 어떻게 진행될지 예상을 할 때 긍정적인 결과보다는 부정적인 결과를 먼저 생각한다. 최악의 상황을 생각하며 그렇게 되지 않기 위해서 많은 고민을 한다. 하지만 실제로 그런 결과가 벌어질 가능성은 매우 낮다. 일을 시작할 때 가능성이 낮은 최악의 결과를 고려한다면 시작을 할 수 있는 일은 없을 것이다. 물론 부정적인 결과가 벌어지는 경우도 있겠지만 어느 정도는 감수하고 시도를 하는 것은 어떨까. 무덤덤하게 받아들이는 자세도 필요하다.

## 책임을 자신에게 돌리지 않기

여러 사람들과 함께 일을 할 때 그 결과가 좋지 않으면 6번 유형은 그 책임이 자신에게 있다고 생각한다. 하지만 6번 유형은 그곳에서 함께 일을 한 구성원 중 한 명일 뿐 최종 책임자가 아니다. 그러니 실패에 대한 부담을 혼자 짊어질 필요 없다. 자신에게 그 책임을 돌리게 되면 앞으로 어떤 일도 시작하지 못하게 된다.

## 긍정적인 면 집중하기

6번 유형이 부정적인 피드백을 받게 되면 원래 유지하고 있던 걱정의 불에 기름을 끼얹는 것이 된다. 긍정적으로 생각하는 사람들도 부정적인 피드백을 받으면 마음이 상하게 되는데, 6번 유형은 오죽할까. 6번 유형은 걱정의 감정이 강화되는 것을 스스로 진단할 줄 알아야 한다. 다음과 같은 말을 스스로에게 하는 것이 도움이 된다. 어떻게 해서든 걱정의 상태에서 벗어나야 한다. 다시 리셋을 해 긍정적으로 생각할 수 있는 자세를 만들어야 한다.

부정적인 생각을 내려놓고 긍정적인 면에 집중하자.

## 7번 유형 - 의사소통 방식
{재미를 추구하는 사람}

'열정가' 또는 '행복추구자'라고 부르는 7번 유형은 새로운 활동에 대한 열정, 다양성에 대한 열망, 짜릿한 자극을 놓치는 것에 대한 두려움을 가지고 있다. 그래서 재미를 추구하는 모습이 강하게 나타난다. 다음의 문장들은 7번 유형이 자주 사용하는 말이다. 재미는 추구하고 고통은 피하고자 하는 특징이 느껴질 것이다.

이거 재미있을 것 같은데!

나 할 수 있을 것 같아!

이제 재미없어서 못하겠어.

뭐 재미있는 거 없을까?


## 7번 유형 - 언어적 의사소통
{재미를 추구하는 사람}

### 빠른 대화의 전환 속도

7번 유형은 열정적이라 자신이 재미있다고 생각하는 것은 바로 실행으로 옮긴다. 분명 좀전에 이야기를 나눴는데 바로 실행하는 7번 유형을 보았을 것이다. 물론 좋아하는 일이니 빠른 결정을 할 수도 있지만 다른 유형에 비해서 매우 빠른 편이다. 또 다른 관심을 갖게 되는 일이 생긴다면 그쪽으로 바로 옮겨가서 그에 대한 이야기를 꺼낸다. 대화 내용의 전환 속도가 너무 빨라 산만해 보이기도 하고 변덕이 심한 것처럼 보이기도 한다.

때로는 여러 가지 일을 한 번에 같이 진행하고 있을 때도 많다. 뭔가를 이야기할 때 여러 가지를 한 번에 말하다 보니 상대는 무엇에 대해서 말하는 것인지 혼란스러울 수 있다. 7번 유형이 주어를 생략하고 말할 수 있으니 다음과 같이 중간에 물어보는 것이 필요하다.

"지금 A를 말하는 거에요, B를 말하는 거에요? 너무 헷갈려요."


## 멀티태스킹

7번 유형은 동시에 여러 가지 일에 관심을 갖고 진행시킨다. 순서를 정해서 순차적으로 진행을 하는 것이 편할 수 있지만 7번 유형은 그렇게 하지 않는다. 자신이 선택한 것들을 동시에 다같이 진행을 하는 멀티태스킹 능력을 가지고 있다. 대화를 할 때도 이런 모습이 동일하게 나타난다. 여러 주제를 한꺼번에 같이 이야기하고 그 내용을 동시에 진행시킨다. 대화도 멀티태스킹이 가능한 것이다. 멀티태스킹도 하나의 능력이라고 할 수 있지만 반대로 보면 어느 하나에 깊게 몰두하지 못하는 모습일 수도 있다.

## 부정적인 감정 회피

7번 유형은 의사소통을 할 때 부정적인 감정이 느껴지는 것을 피한다. 그래서 어려운 주제에 대해 탐구하는 것을 좋아하지 않는다. 이 모습은 5번 유형과 반대된다고 할 수 있다. 항상 긍정적이고 낙관적인 분위기를 유지하려고 노력하며, 진지한 대화를 나누기 보다는 가벼운 대화를 통해 즐거운 분위기를 유지한다. 하지만 이런 식의 즐거움은 잠시일 뿐 그 대화가 끝나면 여전히 진지하게 바라봐야 할 실체는 남아있다는 것을 알게 된다. 그래서 이들은 또 다른 재미 요소를 찾아 떠나게 된다.

## 7번 유형 - 비언어적 의사소통
{재미를 추구하는 사람}

## 활기찬 몸짓과 표정

7번 유형은 활기차고 역동적인 몸짓과 표정을 보여주며 즐거운 상태를 유지한다. 다양한 제스처를 활발하게 사용하기도 하고 흥분감을 가지고 활동한다. 7번 유형과 함께 있으면 즐거운 에너지가 전달되는 것을 느낄 수 있다. 하지만 모든 사람들이 이런 활기찬 모습을 좋아하는 것은 아니다. 오히려 부담을 느끼는 사람들은 7번 유형에게 차분해져야 한다고 조언한다.

팀

## 밖으로 도는 산만함

7번 유형은 가만히 있지 못한다. 차분함이 필요하다고 조언을 하지만 열정이 넘치기 때문에 안절부절 못한다. 해야 할 일들이 많아서 집에 가만히 머물지 못한다. 항상 밖으로 나가 사람들을 만나 다양한 활동을 한다. 어느 하나에 집중하지 못하고 한 장소에 정착하지 못해 산만해 보인다. 함께하는 가족들은 안정적으로 살기를 원한다고 항의를 할 수 있다.

## 장난

7번 유형은 즐거운 상황을 즐기기 위해서 심각한 상황은 피하려고 한다. 이때 사용하는 방법 중 하나가 장난을 치는 것이다. 말도 안 되는 허풍을 늘어놓는다든지, 언어유희를 사용해 말을 하는 것이다. 때로는 짓궂은 장난을 쳐 누군가를 울리기도 한다. 이들의 장난을 잘 받아준다면 7번 유형은 맘껏 재미있는 분위기를 만들 것이다.

## 7번 유형 - 의사소통의 강점

{재미를 추구하는 사람}

## 활기찬 표현력

7번 유형은 에너지가 넘치기 때문에 상대도 덩달아 열정을 올리게 된다. 만약 7번 유형이 상대를 참여시키려고 한다면 활기찬 표현력을 활용해서 상대를 설득하려고 할 것이다. 논리적인 설득이 아닌 함께 해야 할 것 같은 분위기를 만드는 설득이다. 생동감 있는 몸짓과 생생한 어조를 통해서 상대의 마음을 움직이게 하는 것이다. 왠지 함께 하지 않으면 재미있는 기회를 놓쳐버리게 될 것 같다는 기분이 들게 된다.


## 긍정적인 대화

7번 유형은 6번 유형과는 반대로 낙관적이고 긍정적이다. 잘 된 이야기, 재미있는 이야기를 주로 전달한다. 아이디어를 공유할 때도 성공할 가능성이 매우 높다는 식으로 말을 한다.

"이거 하면 대박이 날 거야. 느낌이 오지 않아? 사람들이 몰려들 거라고!"

너무 밝은 면만을 보는 것은 아닌가 싶기도 하지만 시작 전부터 성공이 예상된다는 것을 열정으로 말하기 때문에 별 문제가 없을 것 같은 기분이 들기도 한다. 7번 유형이 긍정적으로 말을 할 때 반대로 부정적인 의견을 내놓으면 분위기가 이상해질 것 같아 이야기를 꺼내지 못하게 된다.

## 스토리텔링과 유머

7번 유형은 타고난 스토리텔러이며 유머러스한 의사소통가이다. 3번 유형도 스토리텔링을 잘 하지만 주로 성공에 관련된 이야기를 풀어놓는다면, 7번 유형은 재미있는 이야기를 풀어놓는다. 이들의 경험을 들어 보면 사람들을 즐겁게 만들 수 있는 소재로 가득 차 있어 확실히 유머가 넘치는 사람이라고 할 수 있다. 7번 유형이 새로운 이야기를 꺼내려고 하면 청중들은 이번에는 무슨 이야기가 나올까 기대감을 갖게 된다. 놀러가서는 왜 7번 유형이 주인공이 되는지 이해가 될 것이다.

## 개방적인 자세

7번 유형은 다른 사람을 대할 때 개방적인 자세를 취한다. 6번 유형의 경계를 하는 모습과는 반대된다. 긍정적인 생각이 강해 주저하거나 조심하는 모습은 거의 없다. 이들의 개방적인 자세는 타인에게 매력적인 사람이라는 느낌을 주기도 한다. 편견이 없는 판단 기준, 편안한 몸짓, 환영하는 자세를 취하기 때문에 쉽게 다가갈 수 있다. 보수적인 사회에서는 이들의 개방적인 자세가 튀는 행동처럼 보일 수 있다.

## 7번 유형 - 의사소통시 주의점
{재미를 추구하는 사람}

### 직면한 문제를 고민하기

7번 유형은 긍정적인 정보만을 취할 게 아니라 현재 직면한 문제에 대해서 고민을 하는 시간을 가져야 한다. 사람은 누구나 어려운 일, 힘든 일, 예상치 못한 일을 겪게 된다. 그런 일이 발생할 때마다 재미있지 않다는 이유로 회피하게 된다면 문제를 계속 쌓아두는 결과를 가져올 것이다. 어디서부터 풀어야 할지 몰라 덮어두고 외부 활동만 열심히 하는 것은 자제하자.

### 진지해지기

7번 유형은 낙천적인 태도를 유지하기 위해서 진지해지는 것을 피한다. 그래서 대화를 할 때 핵심이 되는 주제를 놓치게 되는 경우가 있다. 진지함을 기피하기 때문에 대화의 내용이 핵심에서 많이 벗어나게 된다. 이제는 반대로 진지해지기 위해서 노력을 하자. 진지함은 문제의 핵심에 더 가까이 다가가 해결책을 찾을 수 있도록 도와준다.

## 선택과 집중

7번 유형은 여러 가지 일을 한 번에 할 수 있다고 생각하며 실제로 그렇게 행동한다. 하지만 그런 행동이 실제로는 어느 하나도 제대로 마무리하지 않는 결과를 가져올 수 있다. 7번 유형에게 일을 맡겼다가 끝마무리가 제대로 되지 않는 결과를 경험한 사람은 다음부터 7번 유형을 신뢰하지 않게 된다. 우선순위를 정하고 가장 먼저 할 것을 선택해 집중을 하는 것이 필요하다. 하나씩 마무리를 지으며 나아가는 것이 상대로 하여금 신뢰를 쌓을 수 있는 방법이다.


## 혼란을 줄 수 있는 것 최소화하기

7번 유형은 상대와 대화를 하는 가운데 혼란을 줄 수 있는 모습을 보인다. 나와 대화 중일 때 갑자기 누군가에게 핸드폰 메시지로 대화를 주고 받는다든가, 갑자기 다른 약속을 잡는 경우가 있다. 바로 눈앞에서 말하고 있는 상대는 당황하지 않을 수 없다. 이런 행동을 하는 이유는 지루함을 빨리 느끼기 때문에 현재의 상황에 집중하지 못하고 벌써 다른 곳에 생각이 가버렸기 때문이다. 7번 유형은 누군가와 대화를 할 때 핸드폰을 무음으로 해 놓거나 꺼놓는 것이 오히려 나을 수 있다.

## 관련이 없는 일 하지 않기

7번 유형은 원래 해야 할 일이 아니었는데 갑자기 충동적으로 다른 일을 하게 될 때가 많다. 왠지 재미있을 것 같다는 판단이 되었기 때문이다. 이런 식으로 선택하기 때문에 7번 유형은 많은 일들을 붙잡고 있는 경우가 많다. 항상 바쁘고 정신이 없어 보인다. 스스로는 자신이 매우 보람된 삶을 살고 있다고 생각할 수 있지만 자세히 들여다보면 충동적으로 이것저것 주워 모았다는 것을 알 수 있다. 자신이 꼭 해야 할 이유가 있지 않은 일이라면 과감히 포기하자. 바쁜 일정 가운데 여유가 생기게 될 것이다.

## 8번 유형 – 의사소통 방식
{강함을 유지하는 사람}

'도전자' 또는 '강한 사람'이라고 부르는 8번 유형은 자기 주장이 세며 타인을 통제하려는 욕구가 강하다. 자신이 강하다는 것을 보여주고 싶어 그에 해당하는 의사소통 모습을 보여준다. 다음의 문장들을 보라. 8번 유형이 자주 사용하는 말이다.

## 8번 유형 - 언어적 의사소통

{강함을 유지하는 사람}

### 강압적인 말투

8번 유형은 자신이 하고자 하는 말을 매우 분명하게 전달하기 때문에 강압적으로 느껴질 가능성이 크다. 돌려서 말을 하지 않고 직접적이고 단호한 방식으로 말을 전달한다. 자신감이 넘쳐 그 말에는 권위와 확신이 느껴진다. 하지만 이들의 강한 표현은 상대를 상처 받게 만들기도 한다.

### 강함 표현

8번 유형은 자신이 강하다는 것을 계속적으로 표현한다. 약하게 보이는 것을 매우 경계하기 때문에 말을 할 때에도 강한 어조를 유지한다. 항상 자신감이 넘치며 상대에게 대화의 주도권을 빼앗기지 않으려고 노력한다. 회의를 할 때는 자신의 의견만을 강조하는데 이 또한 강함을 표현하는 것이라고 할 수 있다. 만약 자신의 말이 받아들여지지 않으면 분노를 표출하기 시작한다. 8번 유형이 반드시 자신의 뜻대로 되기를 원할 때는 공격적인 말로 상대를 밀어붙인다. 상대가 잔인하다고 느끼기도 하지만 상대를 배려하는 것보다는 상대를 이기는 것이 더 중요하기 때문이다.

## 불가능이 없다

8번 유형에게는 불가능이 없다. 불가능이 있다는 것 자체가 자신이 약하다는 것을 증명하는 것과도 같다. 어떤 일이 닥치더라도 강한 의지로 헤쳐나갈 줄 안다. 달성 가능성이 낮은 일일지라도 웬만해서는 포기하지 않는다. 강한 의지로 끝까지 추진하니 달성할 가능성이 높을 수밖에 없다. 8번 유형은 마음에서부터 불가능하다는 판단을 하는 사람들을 그리 좋아하지 않는다. 주변에 다음과 같이 말을 하는 사람들이 있을 것이다.

안 될 것 같은데요.

굳이 하지 않아도 됩니다.

가능성이 크지 않아요.

어떻게 해야 할지 모르겠어요.

8번 유형은 이런 사람들과 함께 일을 할 수 없다. 불가능하다고 말하는 사람에게 희망을 볼 수 없다고 생각한다. 이들에게는 어떻게 해서든 이루고자 하는 마음이 없다. 8번 유형은 다음고 같이 말하는 사람들을 원하고 좋아한다.

해 보면 될 것 같은데요.

제가 한번 해 보겠습니다. 반드시 되도록 만들어야죠.

다 안 된다고 하지만 저는 가능성이 보이는데요.

이거 기회 아니겠습니까!

## 권위 있는 목소리

8번 유형은 권위 있는 목소리를 가지고 있다. 목소리를 통해서도 자신의 강함을 표시하는 것이다. 타인을 평가할 때도 그 사람의 목소리를 중요하게 여긴다. 강한 어조로 말을 하는 사람에 대해서는 고평가를 하고, 자신감이 약해 보이는 작은 목소리의 사람에 대해서는 저평가를 한다. 사람의 재능과 특성을 목소리로만 평가할 수는 없는데 8번 유형은 특히 목소리에 많은 점수를 부여한다.

목소리가 중요하게 작용하는 것은 사실이다. 앞에 나설 때, 주장을 할 때, 어려운 상황을 전환시킬 때 강한 어조의 목소리는 분명 큰 효과를 가져온다. 하지만 모든 상황에서 그런 강한 목소리가 필요한 것은 아니다. 명령조의 강한 목소리 때문에 상처 받는 사람도 있다는 것을 기억하자.

## 8번 유형 - 비언어적 의사소통
{강함을 유지하는 사람}

### 자신감이 넘치는 존재감

8번 유형은 불가능이 없다고 생각해 매사에 자신감이 넘친다. 어느 상황에서도 뒤로 빠지지 않고 앞장을 서기 때문에 존재감이 클 수밖에 없다. 주변에서는 8번 유형이 리더를 맡아주기를 원하며 8번 유형도 자신이 리더가 되어 주도권을 잡고 자신의 강함을 표현하고자 한다.

### 지배적인 자세

8번 유형은 자신을 '강자', 다른 사람을 '약자'로 여긴다. 그래서 자신보다 센 사람이라고 느껴지는 사람이 있다면 공격적인 자세를 취한다. 어떻게 해서든 상대를 굴복시켜 자신의 지배 아래에 두고자 한다. 타인과 자신을 수평적인 관계가 아닌 수직적 관계로 설정을 하고 상대를 지배하고자 하는 것이다. 다른 사람들이 보기엔

팀

기싸움을 하는 것처럼 보일 수 있다. 악수를 할 때도 상대보다 더 강하게 손을 잡으며, 더 높은 직책을 맡아 명령을 내린다. 지시할 때는 손동작을 과감하게 사용해 자신이 상대를 지배하고 있음을 알린다.

## 강하고 센 인상

8번 유형은 강한 인상과 다부진 자세 때문에 확실히 세 보인다. 강한 표정과 단호한 태도로 존재감을 확실히 드러낸다. 잘못을 하더라도 자신의 실수를 인정하거나 사과하는 것을 꺼리는데 그 이유는 자신이 약하게 보일 수도 있기 때문이다. 이런 강한 모습 때문에 상대방이 움츠러드는 경우가 많다. 부드러움을 키울 필요가 있다.

## 8번 유형 - 의사소통의 강점
{강함을 유지하는 사람}

## 직접적이면서 솔직한 피드백

8번 유형은 말을 할 때 돌려서 하지 않는다. 하고 싶은 말을 직접적으로 솔직하게 표현한다. 혹자는 이런 8번 유형의 화법에 대해서 불편해한다. 하지만 감정을 담지 않고 받으들이면 8번 유형의 말은 훌륭한 조언이 된다.

8번 유형에게 솔직하게 말해달라고 하면 가감없이 이야기를 해준다. 하지만 상대가 "그래도 그렇게 말하면 어떡해?"라고 말을 한다면 8번 유형은 뭐라고 할까? 솔직하게 말해달라고 한 것이 거짓말이 되니 그런 점까지 합쳐 비판을 하기 시작할 것이다.


## 약자를 보호하면서 지배

8번 유형은 독재자로 보일 때도 있고 정의로운 사람처럼 보일 때도 있다. 두 가지 모습이 서로 상충된다고 생각할 수 있지만 전혀 그렇지 않다. 자신이 강하다는 것을 보여주기 위해서 두 가지의 모습이 다 가능하다. 내가 강하다는 것을 표현하기 위해서 다른 사람을 약자로 만들어야 하며, 그를 지배하는 모습을 보여줘야 한다. 그런데 8번 유형이 모든 상황에서 가장 강한 사람으로 인식되는 것은 아니다. 새로운 상황에 갔을 때 그곳에서는 이미 자신이 아닌 다른 사람이 강자로 활동을 하고 있을 수 있다. 8번 유형은 다른 강자의 모습이 정의롭지 않다고 느껴질 때, 자신이 공정하게 만들고자 노력한다. 막상 자신도 주도권을 갖게 되면 이전 독재자와 유사한 모습을 보여줄 수 있다.

## 결과 만들기

8번 유형은 자신이 한 말에 대해서 반드시 결과로 보여주는 사람이다. 결단을 하는 것도 어렵지 않고 결단을 한 것을 이루는 것 또한 어렵지 않다. 행동으로 옮기는 것이 어려운 5번 유형과 6번 유형이 보기에 대단한 행동가라고 할 수 있다. 8번 유형이 보기엔 다른 사람들이 용기가 없어 보인다. 결단하지 못하고 달성도 왜 하지 못하는지 이해를 할 수 없다. 8번 유형이 리더가 되면 다음과 같은 말을 많이 하게 된다.

"마음 한 번 먹으면 다 이룰 수 있습니다."

"어떻게 해서든 결과를 이루어야 합니다."

"해보기나 했어?"

## 8번 유형 - 의사소통시 주의점
{강함을 유지하는 사람}

## 분노를 조절하기

8번 유형은 자신의 뜻대로 되지 않으면 화를 낸다. 그래서 상대의 말을 경청하는 것이 힘들다. 어떻게 해서든 자신의 의견을 관철시키고자 노력한다. 하지만 화를 내는 사람과 대화를 잘 나눌 수 있는 사람은 없다. 공격적인 말투와 상대의 의견을 받아들이지 않는 태도는 상대로 하여금 대화를 중단하게 만든다. 8번 유형은 자신이 이겼다고 생각할 수 있지만 그것은 소통이 아니다.


## 타인의 반응 살피기

8번 유형은 조직에서 구성원 중 한 명이 아닌 자신이 전체를 끌고 가려고 한다. 빠른 속도로 뭐든지 가능하다는 것을 보여준다. 하지만 타인의 반응을 잘 살필 필요가 있다. 팀 분위기는 혼자 만드는 것이 아니다. 8번 유형이 통제를 하는 독재적인 방법을 다른 사람들은 싫어한다. 자신은 결과가 좋으니 괜찮다고 생각할 수도 있지만 모든 사람들이 이런 의견에 동의를 하는 것은 아니다. 결과가 좋더라도 그 과정 가운데 마음이 상했다면 더 이상 8번 유형과 함께 하고 싶지 않게 된다. 8번 유형은 자신이 팀의 분위기를 경직되게 만들었다는 것을 인식해야 한다.


## 상대가 말할 때 자르지 않기

8번 유형에게 다가가 의견을 전달하는 것은 어렵다. 타인의 의견을 받아들이는 수용성이 부족한 8번 유형은 언제나 자신이 원하는 대로 행동하고 싶어 한다. 그래서 좋은 의견을 전달해도 그것을 활용하는 경우가 적다. 참모가 옆에 있다면 먼저 8번 유형의 기분을 맞추는 말을 건네고 이후에 의견을 조심스럽게 전하게 된다. 우리는 역사극과 같은 방송을 통해서 그런 모습을 많이 보았다. 하지만 지금은 그런 시대가 아니다. 독재국가도 아니고 절대군주의 통치를 받는 시대에 살고 있는 것도 아니다. 8번 유형은 자신의 생각과 다른 의견을 전하는 사람을 존중하고 그 의견을 경청할 필요가 있다.

## 9번 유형 - 의사소통 방식
{안정을 추구하는 사람}

'평화주의자' 또는 '화합 전문가' 라고 부르는 9번 유형은 다른 사람들과 갈등 없이 조화롭게 지낸다. 마음의 안정과 평화를 유지하기 위해서 갈등을 피하는 대화를 많이 한다. 다음의 문장들은 9번 유형이 자주 사용하는 말인데, 자신의 주장은 담겨 있지 않고 다른 사람의 의견을 따라가는 것이 느껴진다.

전 괜찮아요.

아무거나 할게요.

같은 것으로 할게요.

# 9번 유형 - 언어적 의사소통
{안정을 추구하는 사람}

## 태평스러운 착함

9번 유형은 급한 것이 없이 태평스럽다. 급한 결정을 요구하는 상황에서도 빠른 답변을 하지 않는다. 자신이 급하면 다른 사람들을 닦달하게 되는데 9번 유형은 급한게 없으니 누구에게도 강요를 하지 않는다. 그래서 타인은 9번 유형을 '착한 사람'으로 인식한다. 2번 유형이 남을 잘 돕기 때문에 착하다면 9번 유형은 남에게 불편함을 끼치지 않기 때문에 착한 것이다.

## 우유부단함

9번 유형은 결정을 해야 할 상황에서 매우 우유부단한 모습을 보인다. 자신의 선택이 다른 사람들에게 어떤 영향을 미칠지 모르기 때문에 주저하게 된다. 선택하는 것뿐만 아니라 의견을 표현하는 것 또한 매우 어렵게 생각한다. 하지만 인생은 결정과 표현의 연속이다. 어렸을 때는 부모가 선택해 주기 때문에 별 문제가 없지만 성인이 되면 자신이 직접 선택해야 한다. 그런데 주변을 살펴보면 성인이 되어서도 여전히 결정을 하지 못하는 사람들이 많다.

**갈등 회피**

　나와 다른 의견을 말하는 사람들을 많이 만나게 되면 대화를 통해서 의견을 조율하게 된다. 이런 상황에서 8번 유형은 자신의 뜻을 밀어붙이고 9번 유형은 타인의 의견을 따른다. 왜냐하면 갈등을 회피하고 싶은 마음이 강하기 때문이다. 9번 유형은 항상 자신의 마음이 편안하기를 원한다. 그래서 갈등이 벌어질 상황이 되는 것을 허용하지 않는다. 자신의 의견이 분명할수록 다른 의견을 가진 사람과 충돌하게 되니 처음부터 자신만의 의견을 만들지 않는다.


## 9번 유형 - 비언어적 의사소통
{안정을 추구하는 사람}

**약한 존재감**

　9번 유형은 주장을 하지 않는다. 주장을 하게 되면 누군가와 갈등이 발생하기 때문이다. 어떤 발언도 웬만해서는 하지 않는다. 가만히 있기 때문에 주변에서는 9번 유형이 함께 같은 장소에 있었는지 모를 수 있다. SNS를 할 때도 비공개로 할 가능성이 크고, 다른 사람들의 글과 사진에 평가하는 댓글을 적지 않는다.

## 수용하는 모습

자신의 주관이 뚜렷하면 타인의 의견을 받아들일 수 있는 분야가 좁아지지만 그 반대가 되면 될수록 수용할 수 있는 범위는 크게 늘어난다. 9번 유형은 후자를 선택해 대립적인 자세를 취하는 경우가 결코 없다. 9번 유형 주변에는 적(敵)이 거의 없는데 어느 상황에서나 공감의 자세를 취하는 사람을 싫어할 사람은 없기 때문이다. 하지만 이런 9번의 공감에 대해서 영혼이 없다고 비판을 하는 사람들도 있다. 다음과 같은 질문을 해 보면 이들의 공감이 어떤지 알 수 있을 것이다.

"나와 다른 너의 의견은 뭐야?"

## 약속을 어기는 모습

9번 유형은 약속을 잘 어기는 편이다. 처음부터 약속을 깰 생각이 있었던 것은 아니다. 약속 시간이 다가오면 점점 마음이 불편해지기 시작한다. 약속을 할 때는 괜찮았지만 시간이 임박해지니 마음의 상태가 바뀌는 것이다. 나중에 물어보면 처음부터 원하지 않았던 약속이었다고 말하기도 한다. 평온한 상태를 좋아하는 9번 유형은 약속을 거절하지 못하지만 막상 그 약속을 지킬 때가 되면 늦장을 부리게 된다. 약속 시간이 다 되었지만 나가지 않고 상대의 연락도 피하는 모습을 보여준다. 다음날이 되어서도 미안하다는 연락을 하지 않는다. 아무 것도 하지 않는 것이 더 마음이 편하기 때문이다.


## 9번 유형 - 의사소통의 강점
{안정을 추구하는 사람}

### 중재하는 역할

누군가 대화를 하다가 의도치 않게 갈등의 분위기가 형성될 수 있다. 이때 주장이 센 사람들은 그 갈등을 더 키우게 되지만 9번 유형은 중재 역할을 하게 된다. 당사자 간의 다양한 관점을 수용하는 능력이 뛰어나 자연스럽게 평화로운 분위기를 만드는 것이다.


### 경청과 공감

잘 말하는 것도 중요하지만 잘 듣는 것도 중요하다. 하지만 나와는 다른 의견을 가진 사람의 말을 경청하는 것은 쉬운 일이 아니다. 그래서 우리는 끼리끼리 만나서 대화를 하게 된다. 하지만 항상 의견이 맞는 사람들과 만나 대화를 할 수 있는 것은 아니다. 서비스를 제공하는 사람들이 특히 그런 상황에 잘 놓이게 되는데, 9번 유형은 자신과 다른 의견을 들을 때 그 스트레스가 가장 적은 편이다. 그 누구보다 경청과 공감이 충분히 가능하다고 말할 수 있다.

## 중립적 언어

9번 유형은 의사소통을 할 때 갈등을 피하기 위해서 중립적이거나 포용적인 언어를 사용한다. 그래서 어느 한 쪽의 편을 드는 표현을 사용하지 않는다. 직접적으로 표현하는 것도 피한다. 누가 듣더라도 자극이 되거나 오해가 될만한 말은 하지 않는다.

## 9번 유형 - 의사소통시 주의점
{안정을 추구하는 사람}

## 무한 긍정에서 벗어나기

'긍정적'이라는 단어가 항상 좋은 것만을 의미하는 것은 아니다. 때로는 비판적·부정적인 피드백이 필요할 때가 있다. 문제점을 파악하고 해결해야 할 때는 긍정보다는 부정의 말을 잘 사용해야 한다. 9번 유형은 자신이 항상 긍정적인 언어만을 사용하는 것은 아닌지, 때로는 객관적인 비판도 할 수 있는지 자기 보기를 해 보아야 한다.

## 직접 만나서 해결하기

온라인으로 소통하기 보다는 직접 만나서 하는 것이 더 효과적일 때가 있다. 특히 개인적인 고민이나 업무상 발생한 문제에 대해서는 더욱 그렇게 해야 한다. 이럴 때도 마음의 평온을 지키려다 온라인으로 이야기를 하면 작은 문제를 크게 키울 수 있다. 직접 만나서 이야기를 하면 금새 해결될 것을 몇 달 동안 온라인으로 질질 끌고 가는 사람들이 있다. 대면하는 것을 두려워하지 말자.

## 명확하게 표현하기

9번 유형의 중립적인 언어가 갈등을 발생시키지 않는 효과는 있지만 명확한 메시지를 전달할 때는 효과적이지 않다. 9번 유형의 이야기를 다 듣고 난 후 도대체 무엇에 대해서 이야기를 했는지 요점을 파악이 어려울 때가 많다. 9번 유형은 갈등을 두려워 하지 말고 자신이 하고자 하는 말을 분명하게 표현해야 한다. 직접적인 단어도 과감히 사용할 수 있어야 한다. 말은 나의 의견을 표현하기 위한 것이지 상대의 눈치를 보면서 조심스럽게 내뱉어야 하는 것이 아니다.

## 약속은 반드시 지키기

9번 유형에게 약속을 지키는 것은 가장 힘든 일 중 하나다. 마음의 평화에 대한 집착이 일상에서 나태와 게으름으로 왜곡되는 것이다. 9번 유형과 함께 이동해야 하는 사람들은 이들의 늦장부리는 모습 때문에 함께 늦게 된다. 이런 모습에 대한 대책으로 미리 서두르는 것이 필요하다. 서두르지 않으면 늦게 되고, 늦게 되면 마음이 불편해 약속을 어기게 된다. 서둘러 본 적이 거의 없겠지만 이제부터 서두르는 습관을 만들자. 9번 유형의 인생이 바뀌게 될 것이다.

# 02_
# 팀 피드백

# 조직과 피드백

## 피드백을 하는 조직

직장에서 업무를 할 때 의사소통의 중요성은 아무리 강조를 해도 지나치지 않는다. 서로의 대화 방식, 목소리 톤, 주요 사용 단어가 다르기 때문에 오해가 발생하는 것은 당연한 일이다. 이런 점을 이해하기 위해서 앞 장에서는 각 유형의 의사소통 특징을 살펴보았다. 이번에는 '피드백'에 대해서 살펴보려고 한다. 피드백을 잘 하게 되면 개인의 발전은 물론 팀의 성과도 함께 향상된다. 피드백 문화가 잘 자리 잡게 된다면 그 조직은 매우 큰 성장을 가져오게 될 것이다. 반대로 피드백하는 것을 꺼리게 된다면 구성원 모두 그냥 버티는 직장 생활이 될 것이다.

## 몰입과 피드백

많은 직장인들에게 언제 가장 일에 몰입하게 되는지 물어 보면, 하고 있는 일을 통해 자신이 성장하고 있을 때라고 답을 한다. 피드백은 인정과 동기부여, 목표의 조정, 효과적인 학습과 개선으로 개인의 성장과 발전까지 이어지게 되며, 조직의 성과에도 큰 영향을 미친다. 그래서 개인의 피드백은 조직에서 매우 중요하게 작용을 한다는 것을 기억하자.

## 열린 문화 만들기

피드백을 하는 문화가 만들어지면 팀 구성원 간 열린 커뮤니케이션이 가능해진다. 이것은 서로 신뢰를 해야 가능하다. 억지로 하는 피드백이 아닌 건강한 피드백은 협업을 촉진하는 분위기를 만들어주며 서로 자신의 아이디어를 공유하고 갈등을 해결하며 공동의 목표를 향해 협력하도록 돕는다. 이것은 향상된 팀워크와 창의성이 넘치는 혁신으로 이어질 수 있다.

이번 장에서는 유형별 피드백의 방법과 기술을 살펴보려고 한다. 많은 사람들이 피드백을 하는 것과 받는 것 모두를 어려워한다. 처음 의도와는 달리 상대에게 상처를 주거나 어느 순간 공격을 받고 있다고 느끼게 되어 피드백 자체를 기피하게 된다. 원활한 피드백 문화를 만들기 위해서 각 유형별 특징을 알아보자.

# 유형별 피드백

## 1번 유형은 이렇게 피드백을 한다
{완벽을 추구하는 사람}

### 높은 기준

1번 유형은 남들이 흔히 이야기하지 않는 것까지 피드백을 한다. 듣는 사람은 자신이 이 정도까지 받아들여야 하나 의문이 들 수 있다. 1번 유형이 이렇게 피드백을 하는 이유는 자신이 정해 놓은 높은 기준 때문이다. 개인의 취향이자 선택이라고 할 수 있는 부분도 1번 유형의 기준에는 '잘못된 것', '수정해야 하는 것'이 될 수 있다.

### 규칙에 따른 맞는 말

1번 유형의 피드백을 듣다가 기분이 상할 수 있지만 잘 들어 보면 '맞는 말'이라는 것을 알게 된다. 1번 유형의 피드백은 감정적으로 하는 것이 아닌 자신이 정해 놓은 기준에 따라 말을 하는 것이다. 그래서 수용적인 자세를 취한다면 충분히 도움이 되는 내용이라 고맙게 받아들일 수 있다.

1번 유형의 설명에는 '규칙'에 대한 언급이 많은데, 그만큼 규칙을 중요하게 생각하는 것이다. 1번 유형의 피드백을 잘 받아들이면 기준에 맞는 사람, 표준에 적합한 사람, 모범 사례의 사람이 될 수 있다.


## 상대를 비판하는 피드백

1번 유형은 피드백을 개선과 성장의 기회로 보기 때문에 다른 사람들을 곧잘 피드백하는 편이다. 1번 유형이 피드백을 하는 가운데 상대의 자세가 못마땅스러울 때는 그 자세에 대해서 바로 비판할 수 있다. 왜냐하면 성장할 수 있는 기회를 제공하는데 고마워하기는 커녕 듣지 않는 자세를 취하니 불쾌한 것이다. 상대가 원하지 않거나 아직 마음이 열리지 않는 상태에서 피드백하는 것을 1번 유형은 주의해야 한다. 상대가 원하지도 않는데 상대를 위한 것이라는 명분으로 피드백을 하면 그것은 상대를 공격하는 것이 된다. 다음부터는 1번 유형이 하는 피드백을 그 누구도 원하지 않을 것이다.

# 1번 유형에게 이렇게 피드백을 하자

{완벽을 추구하는 사람}

## 구체적이고 세부적

1번 유형에게 피드백을 할 때는 구체적으로 말을 전달해야 한다. 상세한 피드백을 좋아하는 1번 유형에게 대충 분위기만 전달하면 잘 알아듣지 못한다. 1번 유형은 자신이 납득되지 않으면 계속 묻거나 방어적인 태도를 보일 수도 있기 때문에 피드백 내용에 대한 구체적인 예시까지 덧붙이는 것이 필요하다.

## 비판이 아닌 개선에 집중

1번 유형은 타인에 대한 비판적인 피드백은 잘 하지만 반대로 자신은 그런 식의 비판을 잘 받아들이지는 못한다. 그 내용이 맞는 내용일지라도 부정을 할 가능성이 있다. 이들에게는 비판보다 개선을 강조하는 방식으로 피드백을 하는 것이 더 좋다. 말이라는 것이 표현만 바꿔도 비판에서 개선으로 분위기가 바뀌게 된다. "표정이 너무 경직되어 매력이 하나도 없어요."라는 표현을 "표정이 조금만 더 밝아지면 훨씬 외모가 살 것 같아요."로 바꾸는 것이 필요하다. 1번 유형도 충분히 받아들일 것이다.

## 칭찬을 한 후에 비판

1번 유형의 고지식한 면을 비판하는 피드백을 하고 싶다면 바로 비판의 이야기를 먼저 꺼내서는 안 된다. 우선 칭찬의 내용을 먼저 전달하자. 예를 들어 '원칙을 잘 지킨다는 점'에 대해서 칭찬을 해보자. 잘한 점을 부각시킨 후에 비판하려는 내용을 부드럽게 꺼내야 한다. 그러면 1번 유형도 어느 정도는 받아들이려는 마음의 자세를 갖게 될 것이다.


## 해결책을 제시

1번 유형은 개선하는 것을 좋아해 해결책을 제시하는 피드백을 가장 훌륭한 의견이라고 평가한다. 물론 실현 가능성이 있는 내용이어야 한다. 몽상가적인 이야기 또는 결론이 없는 이야기는 좋아하지 않는다.

피드백의 내용대로 실행하여 결과가 좋아졌다면 그 의견을 제안한 사람을 높게 평가할 것이다. 원래 칭찬을 잘 하지 않는 1번 유형이지만 "저 사람의 피드백은 훌륭했어!"라는 칭찬을 하게 될 것이다.

## 2번 유형은 이렇게 피드백을 한다
{도움을 주는 사람}

### 좋은 관계 유지

2번 유형은 서로 좋은 관계를 유지하는 것이 중요하기 때문에 상대에게 직접적인 피드백은 잘 하지 않는다. 피드백의 내용이 서로에게 어떻게 영향을 미칠지 고려하며, 그에 따라 피드백의 내용을 변경하기도 한다. 피드백할 내용의 정확성보다는 좋은 관계 유지에 더 신경을 쓴다.

### 상대에게 감사

2번 유형의 피드백을 잘 들어 보면 상대에게 감사함을 전하고 있다는 것을 알 수 있다. 비판적인 내용의 피드백을 기대한 사람들은 실망을 하게 될 가능성이 크다. 다른 사람 중심적으로 생각을 하기 때문에 피드백을 하는 시간을 상대를 칭찬하는 시간으로 활용하는 것이다. 상대방이 정확한 피드백을 해달라고 재차 요청해도 여전히 원하는 답변은 나오지 않을 것이다. 심지어 상대의 무엇을 꼬집어야 하는지 모르겠다고 말한다.

## 다른 사람의 필요에 대한 고려

2번 유형은 피드백을 하면서 자연스럽게 상대의 필요를 파악한다. 그리고 그 상대를 돕기 위해서 고민을 한다. 결과적으로 피드백을 통해 상대를 도와야 겠다는 결론을 내린다. 2번 유형은 피드백을 통해 상대를 돕는 일정을 늘리게 되는데 나중에는 감당하기 힘들어지는 상황이 펼쳐진다.

## 2번 유형에게 이렇게 피드백을 하자
{도움을 주는 사람}

### 인정하기

2번 유형의 활동에 대해서 이해를 해주는 것이 중요하다. 특히 타인을 위해서 기여한 노력이 있다는 것을 알아봐 주어야 한다. 만약 이런 인정의 말을 하지 않는다면 2번 유형은 금새 침울해지고 의욕을 상실하게 될 것이다.

### 주변 사람들을 도울 계획 세우기

2번 유형은 타인 중심의 생각을 많이 하기 때문에 타인을 도울수 있는 이야기로 피드백의 내용을 구성한다면 매우 적극적으로 임할 것이다. 하지만 반대로 이런 이야기 없이 2번 유형의 단점을 지적하는 피드백을 한다면 매우 위험하다. 2번 유형의 고쳐야 할 점을 지적하고자 한다면 자신이 직접 자신의 단점을 이야기하도록 유도를 하는 것이 필요하다. 그러면 상처도 받지 않으며 고쳐야 할 점도 잘 인식하게 된다.

## 자기 관리를 할 수 있도록 하기

2번 유형은 자신의 필요를 돌보는 데 어려움을 겪는다. 자신을 위해서 시간과 돈을 사용하는 것을 꺼리기 때문이다. 타인을 돕는 것도 자신이 먼저 제대로 선 후에 가능하다는 것을 알려주어야 한다. 준비된 자가 더 잘 도와줄 수 있는 것이지 준비되지 않은 상태에서 마음만 앞서게 되면 일을 그르칠 수 있다는 것을 알도록 해야 한다.

3번 유형은 이렇게 피드백을 한다
{성공지향적인 사람}

## 목표와 결과 중심

3번 유형의 피드백에는 목표와 결과에 대한 내용이 많다. 성공에 대한 집착으로 목표 달성을 위해서 열심히 달려간다. 진행되는 상황을 수시로 측정하며, 최종적으로 목표를 달성하기 위해서 어떻게 해야 하는지 알려주는 피드백을 많이 한다. 실제로 그 내용은 훌륭한 컨설팅이 되기도 한다.

## 행동을 직접적으로 요구

3번 유형은 피드백을 할 때 단순히 들어주거나 공감하는 것으로 마무리를 짓지 않는다. 성공을 할 수 있는 직접적인 행동을 실천하기를 권한다. 단순히 동기부여가 개선을 시키는 것이 아니라는 것을 알고 있다. 그런 피드백은 어떤 행동도 이끌어내지 못하기 때문에 좋아하지 않는다. 개선의 목표를 반드시 달성할 수 있도록 그 방법을 분명히 제시한다.

## 효율성

3번 유형은 효율성을 중요하게 생각하며 효율적이지 않은 방법을 통해서는 성공할 수 없다고 말한다. 즉, 지름길 찾는 것을 중요하게 생각한다. 분명 각 사람에게 맞는 최적화된 방법이 있다고 주장한다. 이들은 불필요한 프로세스는 간소화시켜야 하며 원하는 결과를 달성하기 위해서는 효율성을 극대화시켜야 한다고 말한다.

## 적응성과 유연성

3번 유형은 원하는 목표를 달성하기 위해서 원칙을 바꿀 수 있는 유연성을 가지고 있다. 새로운 방법을 시도하더라도 쉽게 적응하며 성공까지의 기간을 단축하고자 노력한다. 피드백을 할 때도 한 가지 방법만을 밀어붙이지 않고 다양한 방식을 고려하여 각자에 맞는 최적의 방법을 제시한다.

3번 유형은 때로는 매우 고지식하고 유연성이 없는 1번 유형을 만날 때가 있다. 물론 이것은 3번 유형이 1번 유형을 바라보았을 때의 평가다. 반대로 1번 유형이 3번 유형을 보면 원칙도 지키지 않는 사기꾼이다.


## 3번 유형에게 이렇게 피드백을 하라
{성공지향적인 사람}

## 성취 인정

3번 유형에게 피드백을 할 때는 그들이 성취한 것을 인정하는 내용이 반드시 들어가야 한다. 결과보다는 과정이 중요하다는 식의 말로는 이들을 만족시킬 수 없고, 집중하게 만들 수도 없다. 다른 내용을 말하려고 하더라도 성취 내용을 먼저 앞에 말하고 그 다음 하고 싶은 내용으로 피드백을 하자.

## 명확한 목표 제시

3번 유형을 동기부여하기 위해서는 명확한 목표를 제시해야 한다. 불분명한 목표는 이들을 자극할 수 없으며 관심도 보이지 않을 것이다. 롤모델이 될 수 있는 인물을 설정하는 것도 도움이 된다. 그 인물이 달성한 성취의 모습이 명확한 목표의 내용이 될 수 있기 때문이다.

명확한 목표는 실행 가능성도 포함되어야 한다. 너무 이상적인 목표는 달성 가능성이 매우 낮은 몽상가적인 것이다. 노력을 통해 실제로 달성 가능한 목표이어야 3번 유형을 자극할 수 있다. 이런 목표라면 이들은 수단과 방법을 가리지 않고 달성하기 위해 노력한다.


## 성취와 과정의 균형 강조

3번 유형이 성취하는 것에만 집중을 하다 보면 과정을 무시하는 모습이 강화되어 과정에 어떤 일이 있든 결과만 만들면 된다는 식의 가치관을 가지게 될 수 있다. 이것은 분명 문제를 만들게 되며 언젠가 부작용으로 되돌아오게 된다. 3번 유형에게는 성취만 중요한 것이 아니라 과정도 중요하다는 피드백을 반드시 해야 한다. 그것이 자신의 성공을 위해서도 반드시 필요한 점이라는 것을 인식시켜야 한다.

## 4번 유형은 이렇게 피드백을 한다

{특별함을 원하는 사람}

### 풍부한 감성 표현

4번 유형의 피드백은 매우 감성적이다. 보통 해결책을 제시하는 유형들은 감정을 배제하고 말을 하는 경우가 많은데 4번 유형은 반대로 더 감정을 넣어서 피드백한다. 표현이 직접적이지 않아 무슨 의미인지 이해하는 것이 어려울 수 있다. 상징과 비유의 방법을 사용하기 때문에 평소에 4번 유형과의 경험이 없다면 이들이 표현하는 의미를 전혀 이해하지 못해 오해를 하게 될 수도 있다.

### 조직에서 원하지 않는 개성 인정

4번 유형은 그 어떤 유형보다도 개성이 강해 조직에서는 튀는 모습으로 보일 때가 많다. 이들의 피드백 방식은 개인의 창의성과 고유한 특징을 인정하고 포용하는 것이다. 직장 상사는 이런 피드백 방식을 싫어할 가능성이 큰데 대부분의 조직은 개성을 줄이는 것을 원하기 때문이다.

## 예술성 인정

4번 유형은 아름다움과 예술적인 면에 대해서 알아보는 남다른 능력이 있다. 이들의 피드백을 받은 개인은 그 어디에서도 받지 못한 피드백에 감동을 받을 수 있다. 자신의 예술적인 면을 인정해주는 4번 유형의 피드백은 처음일 가능성이 크다. 반대로 예술적인 면을 중요하게 생각하지 않거나 그쪽으로 감각이 부족한 사람은 4번 유형의 피드백을 저평가한다.


## 예민함

4번 유형은 감정변화가 매우 심해 이유 없이 예민한 모습을 보여주기도 한다. 특별한 이유 없이 상황에 따라 다른 모습을 보여주기 때문에 상대는 이유도 모르고 당황하게 된다. 낭만이 있는 모습을 보여주기도 하지만 갑자기 부정적인 감정에 휩싸여 까칠해질 때도 있다는 것을 기억하자. 4번 유형의 모습이 불편하다고 이들의 피드백까지 없앤다면 더 이상 예술적인 내용의 피드백은 들을 수 없게 된다.


## 더 깊은 의미 찾기

4번 유형은 자신의 경험에서 남다른 깊이와 의미를 찾는 경향이 있다. 그들의 피드백은 작업의 근본적인 중요성과 목적을 탐구하는데 다른 시각을 갖도록 도와준다. 편견과 획일적인 시각은 자신의 일에 대해서 새로운 의미를 찾지 못하게 한다. 그래서 4번 유형의 의견이 더욱 중요하다. 물론 처음에는 이들의 말을 이해하지 못할 수 있다. 하지만 4번 유형의 의견을 잘 생각해 보면 새로운 의미를 발견할 수 있도록 돕는 내용이 있다는 것을 알게 된다.

## 4번 유형에게 이렇게 피드백을 하자
{특별함을 원하는 사람}

### 개성을 인정하기

4번 유형은 전체 유형 중에서 가장 개성이 강해 자칫 잘못하면 이들의 특성을 무시하게 될 수 있다. 4번 유형을 피드백할 때는 이들의 특징을 미리 알고 있는 것이 필요하다. 4번 유형은 남들과 다른 고유한 방식으로 기여를 했을 가능성이 크다. 그런 점을 빠뜨리지 말고 인정할 수 있어야 한다. 이들이 제공하는 독특한 능력을 인정하지 못한다면 이상한 사람이라고 치부하게 될 가능성이 크다. 예술적인 특성이 필요한 작업에서는 4번 유형이 가진 고유함이 훌륭한 해결책의 실마리일 수 있다.

팀

## 판단하지 않는 공간 만들기

직접적인 판단을 하는 피드백은 4번 유형의 마음을 상하게 할 수 있다. 만약 그렇게 되면 이들은 급격히 부정적인 분위기에 휩싸인다. 4번 유형이 마음의 안정을 느낄 수 있도록 '판단을 하지 않는 공간'을 만드는 것이 중요하다. 그런 환경에서 4번 유형은 자신의 감정과 생각을 자유롭게 표현할 수 있어 깊숙한 곳으로 들어가 나오지 않는 상태가 되는 것을 막을 수 있다.


## 자존감 높여 주기

4번 유형은 자기 비하의 모습을 가지고 있어 이들의 자존감을 높여 주는 것이 매우 필요하다. 이들이 다른 사람들에게 어떤 영향을 미치는지 강조하는 피드백을 할 필요가 있다. 그들의 기여가 어떻게 사람들에게 영감을 주거나 감동을 주었는지 공유하는 것은 큰 도움이 된다. 이것은 4번 유형이 종종 더 깊은 우울감으로 빠지는 것을 막을 뿐만 아니라 이들의 자율성과 독창성이 더 잘 나타나도록 도울 수 있다.

# ❺
## 5번 유형은 이렇게 피드백을 한다
{지식을 추구하는 사람}

## 분석적인 내용 전달

5번 유형은 상대에 대해서 분석을 한 후에 논리적으로 설명을 하는 피드백을 한다. 그들은 상황에 대한 객관적인 관찰과 분석, 데이터를 통한 수치적인 결과 분석에 초점을 맞춘다. 감정적인 평가, 주관적인 평가는 최대한 배제했다는 것을 알 수 있다. 이들의 피드백 내용을 보면 '느낌'이라는 단어가 거의 등장하지 않는다. 왜냐하면 느낌을 말하는 것은 정확하지 않은 것이기 때문이다. 데이터를 가지고 말을 하기 때문에 변화 추이도 정확하게 알 수 있다.

## 정확한 정보 전달

5번 유형은 관심이 있는 분야에 대해서 전문적인 수준까지 공부한다. 피드백을 할 때도 철저한 조사를 수행한 후 정확한 정보에 입각한 내용을 전달하려고 한다. 근거가 없는 자료를 사용하는 것은 있을 수 없는 일이며, 검증되지 않은 내용은 충분한 확인 작업을 거치게 된다. 5번 유형의 피드백은 정확도에서 볼 때는 가장 신뢰할 만하다고 말할 수 있다.

잘못된 편견에 대해서도 이들은 지적을 한다. 왜냐하면 그것은 정확하지 않은 정보이자 착각이기 때문이다. 다음의 내용을 통해서 5번 유형이 어떻게 분석을 하는지 살펴보자.

---

힘든 일은 한 번에 찾아온다.

→ (힘든 일의 내용이 부모 중 한 분의 사망과 사업이 망한 것 때문이라면) 두 가지 모두 40~50대에 주로 벌어지게 될 일이다. 힘든 일이 서로 손을 잡고 함께 찾아오는 것이 아니라 인생에서 비슷한 시점에 일어나는 것일 뿐이다.

노부부 중 한 쪽이 먼저 사망하면 남은 쪽도 망자가 데리고 가기 때문에 곧 세상을 떠난다.

→ 마치 죽은 배우자가 남은 배우자를 데리고 간다는 말인데 말이 되지 않는다. 서로 사이가 좋았던 부부라면 배우자의 사망은 매우 큰 충격과 스트레스를 가져다준다. 그로 인해 면역력이 안 좋아져 병이 찾아와 사망을 하게 될 가능성은 매우 커진다. 사이가 좋지 않았던 부부라면 남은 배우자는 더 건강해져 오래 산다. 오히려 사이가 좋지 않은 배우자를 데리고 갈텐데 그런 이야기는 나오지 않는다.

사고가 난 것은 액땜 한 셈 치는 것이 좋다.

→ 사고가 났다면 왜 났는지, 무엇을 잘못했는지 확인하고 반성을 하는 것이 필요하다. 액땜한 셈 치라고 하는 말이 위로가 되는 것은 알겠지만 그것은 잘못은 덮어두고 앞으로 좋은 일이 생길거라고 착각하라는 말밖에 되지 않는다.

5번 유형은 적당히 좋은 말로 피드백을 하지 않는다. 듣기에만 좋고 현실적으로 말도 안 되는 말은 절대로 하지 않는다.

## 프라이버시 존중

5번 유형에게 프라이버시는 매우 중요하다. 개인적인 공간을 갖고 그 안에서 자율성이 보장되기를 강하게 요구한다. 이런 요구는 자신만 해당되기를 바라는 것은 아니다. 타인의 공간도 침해되지 않도록 주의를 하며 불편할 수 있는 상황이 펼쳐지지 않도록 노력한다. 피드백을 할 때도 그 내용을 당사자에게만 전달할 뿐 다른 사람들에게는 노출시키지 않는다. 많은 사람들을 모아 놓고 공개적으로 한 명씩 피드백을 하는 모습은 있을 수 없는 모습이다.

## 5번 유형에게 이렇게 피드백을 하자
{지식을 추구하는 사람}

## 깊이 있는 지식 인정하기

5번 유형은 원리까지 파악하는 수준으로 깊은 지식에 몰두하는데 이런 점을 이해하는 피드백을 하는 것이 좋다. 5번 유형이 말하는 깊은 지식에 대해서 듣기 싫어하는 사람들도 있지만 진지하게 이들의 말을 들어보면 의미있는 것에 집중하고 있다는 것을 알 수 있다. 5번 유형의 말을 잘 듣고 질문까지 하게 된다면 5번 유형은 모처럼 자신과 수준이 맞는 '지식탐구자'를 만난 것으로 생각하고 기뻐할 것이다. 5번 유형이 인정을 받았기 때문에 동기부여가 됨은 물론, 평소에 과묵한 이들이 이때만큼은 말이 많아질 것이다.

## 프라이버시 존중

앞에서 5번 유형은 프라이버시를 매우 중요하게 생각한다고 설명했다. 개인적인 존중이 보장되는 피드백 환경을 선호한다. 압박감을 느끼지 않고 자신의 생각과 아이디어를 편하게 공유할 수 있는 열린 대화 분위기를 조성해주어야 한다. 피드백을 할 때는 개인적으로 따로 만나서 할지, 아니면 타인이 있을 때 해도 괜찮은지 물어보는 것이 좋다. 이런 배려 없이 상대를 면박주기 위해 다수 앞에서 비판적인 피드백을 해서는 안 된다. 5번 유형이 가장 싫어하는 피드백이다.

## 근거 제공

5번 유형을 설득하기 위해서는 근거를 제시하는 피드백을 해야 한다. 느낌으로 평가를 하고 불분명한 설명을 늘어놓는다면 5번 유형은 더 이상 듣지 않을 것이다. 이들은 상세하고 구체적인 내용을 담은 피드백을 좋아하기 때문에 사실에 입각한 피드백을 해야 한다. 이들은 피드백의 내용에 대해서 더 구체적인 내용을 물어볼 수도 있다. 그런 질문에 대해서 귀찮아하거나 잘라서 말을 해서는 안 된다.

### 반영할 시간 허용

5번 유형은 바로 행동으로 옮기지 않는다. 들은 지식과 정보를 머릿속에서 분석하는 처리 시간이 필요하다. 충분한 사고 과정을 거친 후에 행동으로 옮길 수 있으니 곧바로 실천을 강요해서는 안 된다. 이렇게 말하니 생각할 시간이 어떻게 되냐고 다음과 같이 강요하는 사람도 있다. "지금부터 1시간 후면 실행할 수 있지?" 이런 강요를 해서는 안 된다. 그렇게 조건을 달지 않아도 5번 유형은 늦장을 부리지 않는다.

# ❻
## 6번 유형은 이렇게 피드백을 한다
{안전을 추구하는 사람}

### 신중함

6번 유형은 매우 신중하게 피드백의 내용을 준비한다. 최악의 결과가 어떻게 벌어질지 고려해 준비한 피드백일 가능성이 크다. 혹자는 이런 과한 신중함에 피곤을 느끼기도 하지만 6번 유형은 준비를 철저하게 해서 안 좋을 것이 없다고 생각한다.

## 검증을 통한 위험 대비

6번 유형은 잠재적인 위험에 대해 준비를 많이 한다. 문제가 터지기 전에 미리 잠재적 문제의 근원을 해결하고자 검증 과정을 거치는 경우가 많다. 사전에 이런 과정을 거치지 않으면 안심이 되지 않기 때문이다. 이런 방식에 대해서 귀찮아하며 건너뛰기를 원하는 사람과 갈등이 벌어지기도 한다.

## 타인의 지도를 구함

6번 유형은 다른 사람의 지도·지시·지침·메뉴얼을 구하는 경우가 많다. 어떻게 하면 되는지에 대한 방법 이야기를 많이 한다. 혼자 주도적으로 하는 것보다는 이런 식의 방법이 더 안정적이라고 생각하기 때문에 상대에게도 그렇게 안내를 하는 것이다.

## 신뢰도와 충성도의 중요성

6번 유형은 신뢰도와 충성도에 높은 가치를 부여한다. 피드백을 할 때도 팀 구성원 간의 신뢰 유지와 충성도를 위한 분위기 조성을 강조한다. 자신이 혼자 두드러지거나 갈등이 발생하는 행동을 하는 것을 주의시킨다. 문제가 될 수 있는 행동은 자제시키고 서로 신뢰하면서 함께 갈 수 있는 방법을 제시한다.


## 6번 유형에게 이렇게 피드백을 하자
{안전을 추구하는 사람}

### 안정적인 분위기 만들기

6번 유형에게는 안심할 수 있는 분위기를 제공하는 것이 중요하다. 피드백을 시작할 때 긴장하지 않도록 아늑한 분위기의 장소를 잡는 것이 필요하다. 6번 유형에게 피드백의 내용을 전달할 때는 자신의 역할과 기여가 조직의 안정에 도움을 줄 수 있다는 것을 알릴 필요가 있는데 그것은 충성심과 헌신을 중시하기 때문이다. 안심하며 조직에 충성을 결심하는 시간이 될 것이다.


### 긍정적인 면 먼저 전달하기

변화와 혁신의 내용을 전달해야 할 때 6번 유형에게는 그 이야기가 너무 큰 불안감으로 작용할 수 있다. 처음부터 과감한 내용을 전하는 것은 적절하지 않다. 먼저는 이들이 긴장하지 않고 자연스럽게 받아들일 수 있도록 긍정적인 면을 충분히 제공하자. 그 다음 본격적으로 할 말을 천천히 전달하는 것이 좋다.


## 명확한 지침 전달

6번 유형은 명확한 지침을 원한다. 불분명한 내용의 피드백은 6번 유형이 기본적으로 갖고 있는 불안감을 해소시키지 못한다. 구체적인 계획·진행 과정·성과 목표·기한·성공 기준 등을 전달하는 것이 좋다. 그렇지 않으면 불안해하는 모습으로 일관할 것이다. 지침을 전달하고 그것이 잘 되고 있는지 확인을 하면 6번 유형은 자신이 무엇을 해야 하는지 정확히 인식을 한다.


## 지원과 협업 제공

6번 유형에게는 지원을 해주는 조건이 있는 것이 매우 중요하다. 강한 리더는 특별한 지원 없이 스스로 헤쳐 나가야 한다고 지시를 하는 경우가 많다. 이런 지시는 6번 유형에게 적합하지 않은 리더십의 모습이다. 이들에게는 협업을 강조하는 것도 도움이 된다. '혼자'가 아니라 '함께'를 강조하면 이들은 언제든지 지원을 받을 수 있다는 안심을 하게 된다.

## 우려 해결하기

6번 유형은 자신이 하고 있는 수행에 대해서 우려를 하고 있을 가능성이 크다. 피드백을 할 때 그들이 가질 수 있는 걱정이나 의문을 표현할 수 있는 기회를 제공하는 것이 필요하다. 그에 대한 답변을 제공함으로 이들의 불안감을 잠재우는 것이 필요하다.

## 7번 유형은 이렇게 피드백을 한다
{재미를 추구하는 사람}

## 긍정적이여 낙관적

7번 유형은 긍정적이고 낙관적인 면이 강하기 때문에 자신이 직접 한다면 다 잘 될 것 같다는 생각을 한다. 상대가 어떤 어려운 점을 이야기하면 그것이 왜 안 될까 의문을 갖기도 한다. 7번 유형은 자신과는 다르게 부정적으로 생각하는 유형들이 있다는 것을 알 필요가 있다. 7번 유형의 지나친 긍정성은 다른 사람들에게 적절하지 않는 피드백을 하게 된다. 7번 유형의 낙관적 의견은 현실적이지 않을 수 있다는 것을 기억하자.

## 과도한 연결

7번 유형은 어떤 일을 할 때 자신이 알고 있는 다른 것들과의 연결을 하려고 꾸준히 노력한다. 낙관적인 성격 탓에 자신의 그런 생각이 다 현실적으로 가능할 거라고 판단한다. 7번 유형의 피드백은 곁가지로 빠지는 경우가 많으며 상대는 산만하다는 느낌을 받는다. 확실하지 않은 방법을 무턱대고 끌여들이지 말자. 긍정적으로 다 될거라고 생각했지만 나중에 연결된 사람들에게 연락을 하면 상당수가 'No'라는 답변을 주는 경우가 많다.

## 다양성과 융통성

7번 유형은 어떤 기준을 정해놓고 그것을 고집하는 모습을 보이지 않는다. 왜냐하면 그것은 새로운 것을 시도하는데 장애가 되기 때문이다. 피드백을 할 때도 정해진 메뉴얼대로만 하지 않는다. 그래서 7번 유형의 피드백을 듣고 좋아하는 사람들도 많다. 너무 마음이 놓일 뿐만 아니라 이론적인 내용이 아닌 현실을 반영한 피드백이라는 점이 마음에 드는 것이다. 반대로 기준이 없는 피드백이라고 비판을 하는 사람들도 있다.

## 간결하고 신선한 자극

7번 유형의 피드백에 자극을 받는 사람들이 많다. 기존의 이야기와는 다른 신선한 관점을 제공하기 때문이다. 새로운 아이디어를 소개하는 7번 유형은 분명 매력적인 면을 가지고 있다. 이들은 길게 설명하는 것도 좋아하지 않는다. 이야기가 길어지면 누구나 지루함을 느끼게 된다고 생각해 간결한 방식으로 피드백을 하는 것이다.

## 7번 유형에게 이렇게 피드백을 하자
{재미를 추구하는 사람}

### 열정 조절시키기

7번 유형은 매우 열정적이며 에너지를 밖으로 잘 표출해 만나면 항상 즐겁고 활기찬 모습을 보여준다. 이런 7번 유형의 열정을 이해하지 못해 좀 조용히 하라는 피드백을 해서는 안 된다. 물론 모든 상황에서 에너지를 밖으로 표출하는 것이 좋은 것은 아니다. 처한 상황에 맞게 열정을 조정하는 것이 필요하다는 것을 알려주어야 한다. 7번 유형도 이와 같은 조언을 들어 본 적이 많기 때문에 잘 이해하지만 거부하는 7번 유형도 있다. "내가 뭐가 문제인데? 오히려 열정적인 게 더 좋은 거 아니야? 난 그냥 내가 하고 싶은 대로 할 거야."라고 말하는 7번 유형이 분명 있겠지만 너무 실망할 필요는 없다. 머지않아 어느 시점에 변화하게 될 것이다.

## 다양한 방법 소개하기

7번 유형에게는 어느 하나의 방법만 제시하기보다는 다양한 방법을 알려주는 것이 더 효과적이다. 에너지 기복이 심한 편이라 하나의 방법을 꾸준히 하지 못한다. 그래서 다양한 방법을 알려주어 지루할 틈을 주지 않는 것이 도움이 된다. 이런 경우 7번 유형은 "제가 딱 원하던 피드백이었어요."라는 극찬을 하게 될 것이다.

## 새로운 것이 없다는 것 알리기

7번 유형은 꾸준히 새로운 것을 원한다. 어느 하나의 방법을 제시하는 것보다는 다양한 것을 제시하는 것이 좋다. 하지만 이런 모습은 어느 하나의 방법에 집중하지 못하게 만들기도 한다. 다른 것에 마음이 건너가지 않도록 알려줄 필요가 있다. 이 세상에 더 새로운 것은 없다고 말을 해주자. 그러면 다음과 같이 공감의 답변을 할 것이다.

"맞아. 매번 이런 생각 때문에 바쁘게 지내왔는데 이제는 중단을 해야겠어."

## 자율성 제공하기

7번 유형은 자유로운 환경을 원한다. 자신이 하고자 하는 일에 어떤 제한과 통제가 있다면 벗어나고자 노력을 한다. 정해진 시스템 안에서 움직이기를 원하는 피드백을 듣게 되면 이들은 자신의 다양성과 열정을 사용할 수 없게 된다고 생각한다. 결국 빨리 그 상황으로부터 벗어나려고 할 것이다. 7번 유형에게는 자율성을 보장하는 내용의 피드백을 전해야 한다.

## 8번 유형은 이렇게 피드백을 한다
{강함을 유지하는 사람}

### 한계를 뛰어넘도록 권유하기

강함을 중요하게 생각하는 8번 유형은 피드백을 할 때도 상대에게 강해야 함을 강조한다. 자신에게 불가능이 없었던 것처럼 다른 사람들도 한계를 뛰어넘어야 한다는 것을 강조한다. 하지만 이런 방식에 대해서 나머지 다른 유형들은 큰 부담을 느낀다. 왜냐하면 8번 유형이 말하는 정도로 강하게 추진하고 싶지는 않기 때문이다. 자칫 잘못하면 이들의 피드백은 상대의 몸과 마음에 상처를 줄 수 있다.

## 결과 지향적

8번 유형은 과정보다는 결과를 더 중시한다. 결과를 위해서 과정은 힘들 수 있다는 것을 당연하게 받아들인다. 그래서 피드백을 할 때 먼저 결과가 어떻게 되는지를 확인한다. 내용을 들어보았을 때 원하는 결과가 아니라면 그때 과정을 확인하게 된다. 과정을 살펴보니 왜 나약한 모습으로 임했는지 이해할 수 없다는 반응을 보인다. 구체적인 피드백보다는 단 한마디로 결론을 내리는 경우가 많은데, 이때 많이 사용하는 문장이 '일체유심조'[1]다.

"일체유심조 몰라? 다 마음 먹기에 달려 있다고."

위의 말은, 과정은 어떻게 되더라도 결과를 꼭 만들어내라는 의미라고 할 수 있다. 너무 결과 위주로 피드백을 하니 과정에 대한 이야기를 듣고 싶은 사람들에게는 답답한 피드백이 아닐 수 없다.

## 독단적

8번 유형은 다른 사람들의 의견을 듣고자 하지 않는다. 피드백을 할 때도 피드백을 받는 사람의 사정은 보려고 하지 않는다. 오직 자신의 생각과 판단만을 전하는 피드백을 한다. 어떤 사람들은

---

[1]　一切唯心造, 모든 것은 오직 마음이 지어낸다는 뜻으로, 모든 일에 마음가짐이 중요함을 이르는 말

자신의 사정을 말해 자신에게 맞는 피드백을 원하지만 8번 유형은 그런 개인적인 사정을 반영해서 피드백을 하지 않는다. 왜냐하면 그런 것들을 고려하면 자신이 생각한 추진력을 발휘할 수 없기 때문이다. 이런 모습은 평소에 8번 유형의 일하는 모습과도 같다. 주변의 상황을 고려하지 않고 반드시 목표를 달성하려는 모습 말이다.

## 8번 유형에게 이렇게 피드백을 하자
{강함을 유지하는 사람}

### 능력을 인정해 주기

8번 유형의 능력을 인정해 주는 것이 중요하다. 왜냐하면 다른 유형들이 하지 못한 것을 해냈기 때문이다. 8번 유형의 도전을 인정해 주는 것은 8번 유형에게 가장 큰 칭찬이다. 바로 고쳐야 할 점을 먼저 이야기하지 말고 잘한 점들을 먼저 인정하자. 그 다음에 하고 싶은 말을 해도 늦지 않다.

### 과거의 성공 결과를 파악해 이야기하기

8번 유형의 과거 내용을 보면 성공적인 결과를 만들어낸 것이 많다는 것을 알게 된다. 그 내용을 미리 파악해 이야기를 하자. 그런 내용을 직접적으로 전하는 사람을 8번 유형은 처음 만나게 된 것일 수 있다. 갑자기 마음을 열고 열정적으로 자신의 이야기를 할 것이며, 자신에게 고쳐야 할 것이 있다면 이야기해달라고 낮은 자세를 취할 수도 있다. 흔하지 않은 열린 마음의 자세를 만든 것이다.

## 9번 유형은 이렇게 피드백을 한다
{안정을 추구하는 사람}

### 조화로움 추구

9번 유형은 '조화로움'이 중요하다는 것을 강조한다. 왜냐하면 그것은 갈등이 벌어지는 것을 막을 수 있기 때문이다. 누가 문제이고 누가 일을 제대로 하지 않는지 꼬집어 말하지 않는다. 얌체와 같은 사람이 있더라도 그 사람을 미워하거나 고치려 하지 않는다. 그냥 덮어두고 조용히 지나간다. 어찌 됐든 팀 구성원 간의 평화와 협력이 깨지지 않는 것이 가장 중요하다. 그래서 다음과 같은 말을 하게 된다.

(얌체짓을 하는 사람을 비판하는 사람에게)
"그런 생각은 하지 않는 게 좋을 것 같아요."

**균형과 공평**

9번 유형은 어느 한 쪽에 힘을 보태어 주장하지 않는다. 어떤 의견을 듣더라도 한쪽 편을 드는 일은 없다. 양쪽의 다양한 관점을 고려하여 균형 잡힌 관계가 이루어지기를 원한다. 사람들을 대할 때도 차등을 두지 않고 모든 사람들을 공평하게 대한다. 피드백을 받는 사람도 매우 편안함을 느끼게 된다.

**비판 회피**

9번 유형의 피드백에는 비판하는 내용이 거의 없다. 직접적인 비판을 해야 하는 상황이라 하더라도 적절한 비판의 말을 꺼내지 못한다. 정확한 해결을 하기 위해서는 문제를 건드리고 개선해야 하는데 그것을 매우 힘들어한다. 분명한 분석 내용을 원하는 사람 입장에서는 9번 유형의 피드백에 불만족을 표현한다.

## 9번 유형에게 이렇게 피드백을 하자
{안정을 추구하는 사람}

### 균형과 조화를 이룬 성과 인정

결과만 가지고 따진다면 9번 유형은 거의 아무 일도 하지 않은 것처럼 보이고, 당연히 저평가될 수밖에 없다. 하지만 9번 유형은 팀의 균형과 조화를 위해서 노력한 면이 분명 있다. 그것이 일의 성과로 뚜렷하게 보이지 않는 것뿐이지 실제로는 관계를 좋게 만드는 데 큰 기여를 했다. 이런 9번 유형의 역할에 대해서도 인정을 해야 한다. 그렇지 않으면 아무것도 하지 않은, 아무 필요가 없는 사람이라고 실수의 발언을 하게 될 수 있다.

## 부드럽게 내용을 전달하기

9번 유형은 비판하는 말을 어려워한다. 자신이 받아들이는 것도 어렵고, 타인에게 하는 것도 어렵다. 이들에게 말을 할 때는 표현을 정중하고 부드럽게 해야 한다. 어떤 것을 강조할 때는 '~하세요'의 표현보다는 '~을 하는 것이 좋을 것 같아요.'와 같은 표현이 더 낫다. 9번 유형을 고려하지 않고 다음과 같이 피드백을 하는 사람들이 있다.

"단도직입적으로 말할게요. 명령이 떨어지면 하세요. 그냥 따르세요."

답답한 마음에 9번 유형에게 위처럼 말했을 수 있다. 하지만 효과는 전혀 없을 것이다. 이들은 오히려 더 숨어버리는 행동을 취할 것이 뻔하다. 강요의 느낌이 나면 아예 놔버리는 유형이 9번이라는 것을 기억하자.

## 세부적인 내용 전달하기

9번 유형은 어떤 일을 하다가 마음이 불편해지면 그때부터 그 일을 중단하는 경우가 많다. 끝까지 마무리를 짓는 못하는 경우가 많은 편이다. 상세한 설명이 있는 경우에도 이런 일이 벌어질 수 있는데, 모호한 설명을 하게 된다면 어떻게 될까? 중간에 포기를 하는 것이 아닌, 시작도 하지 않을 것이다. 이들에게는 세부적으로 내용을 정리해서 전달하는 것이 좋다. 총 몇 가지의 내용이 있고, 각각은 언제까지 해야 하며, 어느 경로를 통해서 보고를 해야 하는지 알려주어야 한다. 그러면 불편한 마음 상태가 되더라도 정해진 약속을 지키지 않을 수 없게 된다. 피드백을 하는 입장에서는 '관리 가능한 상태'를 만드는 것이고, 9번 유형 입장에서는 '실행 가능한 상태'를 만드는 것이다.

# 03_
# 팀 갈등관리

# 갈등과 불건강한 상태

## 갈등, 피할 수 없다면 해결책은?

　다양한 구성원이 함께하는 직장에서의 갈등은 피할 수 없는 부분이다. 직장을 그만두는 이유를 조사한 결과에 의하면 90% 이상이 일보다는 사람이 싫어서 직장을 떠난다고 말한다. 혈연으로 맺어진 가족들과도 의견차이 때문에 갈등이 발생하는데, 전혀 다른 환경에서 살았던 사람들의 집합체인 직장에서의 갈등은 필연이 아닐 수 없다.

　갈등을 즐기거나 반기는 사람은 아마도 없을 것이다. 하지만 성장의 관점에서 보면 갈등이 꼭 나쁜 것만은 아니다. 연구 결과에 의하면 갈등이 전혀 없는 조직은 바람직한 조직이 아니라 정체된 조직이라고 말한다. 반대로 갈등이 과도한 조직은 사사건건 서로 반목하게 되어 스트레스가 가중되는 조직이라 곧 와해될 위험을 가진 조직이라고 할 수 있다. 다양한 구성원이 함께하는 조직에서 성과향상과 협업을 성공적으로 이끌어내기 위해서는 갈등을 적절하게 관리하는 지혜가 필요하다.

갈등의 원인은 매우 다양할 뿐만 아니라 복잡하게 얽혀있다. 여기에는 시대적 특성도 한몫하는데, VUCA의 관점에서 살펴보자.

---

**V**(Volatility, 변동성)

변화의 속도가 빠른 불규칙한 시대를 살고 있기에 직장 내에서는 새로운 상황과 도전들이 끊임없이 발생한다. 이 때문에 갈등이 벌어지는 것을 예측하는 것이 어렵고, 일단 갈등이 발생하면 그에 맞는 적절한 전략과 방식을 찾는 것이 쉽지 않다.

**U**(Uncertainty, 불확실성)

현대인은 불확실성이 높은 환경 속에서 살고 있다. 이런 환경에서는 미래에 대한 확신을 갖는 것이 어렵다. 어떤 방향으로 가는 것이 최선인지 각 사람마다 의견 차이도 크며, 이로 인해서 갈등이 발생하게 되기도 한다. 새로운 대책을 세우더라도 어떤 변화가 또 있을지 모른다.

---

## C(Complexity, 복잡성)

발전된 기술로 인해서 조직의 구성과 업무의 내용은 점점 더 복잡해지고 있다. 상호 연결된 여러 변수들이 존재해 언제든지 갈등이 발생할 수 있는 상황이다. 조직 내에서 서로 생각하는 의견은 다르며, 결국 서로 충돌하게 될 가능성은 커진다. 상황이 복잡해 어디에서부터 해결책을 만들어 시도해야 할지 모른다.

## A(Ambiguity, 모호함)

지식과 정보가 넘쳐나고 공개되어 접근성은 매우 높아졌다. 하지만 정보의 불확실성도 함께 증가했고 다양한 해석도 많아져 혼란이 가중되었다. 어느 것이 정확한 것인지 모르는 모호한 상황이라고 할 수 있다. 이로 인해 조직 내 구성원들 사이의 갈등은 점점 증가한다.

이외에도 직장 내 갈등을 야기하는 원인은 매우 다양하다. 조직 문화도 서로 다르며, 업무 프로세스도 직종마다 다르다. 세대 간의 차이점도 확실히 존재하며, 개인 간 가치의 기준도 다르다. 다행히 고유한 개성은 더욱 인정하는 시대가 되었지만 성격의 차이는 세대를 넘어 계속 존재하고 있다.

갈등을 적절하게 잘 관리하는 지혜는 조직의 생산성을 뛰어넘어 존폐를 위해서도 매우 중요하다. 에니어그램은 그런 점에서 도움이 되는 내용을 담고 있다. 에니어그램은 표면상의 차이를 뛰어넘어 개인의 행동을 주도하는 근본적인 동기·두려움·집착을 설명한다. 이번 장에서는 에니어그램이 말하는 9가지 유형이 가진 근본적인 동기를 통해 유형별로 직면할 수 있는 갈등의 유형과 해결 방법에 대해 탐색해 볼 것이다.

## 건강한 상태와 불건강한 상태

서로의 심리적 성향이나 성격을 이해하게 되면 갈등은 쉽게 해결될까? 흔히 말하는 '틀림'이 아닌 '다름'을 이해하게 되면 그때부터 서로의 갈등이 100% 해결된다고 보는지 묻는 것이다. 만약 그렇다고 답변을 한다면 당신은 너무 순진한 사람이다. 먹은 음식이 매운맛이라는 것을 알게 된다고 그 매운맛이 입안에서 사라지는 것이 아니다. 여전히 매운 음식은 혀를 강하게 자극해 통증을 준다. 심지어 맛은 혀의 미각을 통해서 빨리 판단할 수 있지만 누군가를 이해하는 것은 그리 쉬운 일이 아니다.

궁극적인 갈등 해결을 위해 중요하게 살펴볼 것은 에니어그램이 말하는 '3가지 범위'이다. 각 유형마다 크게 3가지 범위로 나눌 수 있는데, 그것은 건강한 범위, 평균 범위, 불건강한 범위이다.

바람직한 방향은 '건강한 범위'를 향해 가는 것이다. 이것은 자신이 집착하고 있는 것들을 내려놓는 것과 같다. 이렇게 된다면 행동의 변화가 따라오게 된다. 이전처럼 특정 상황과 관계에서 갈등을 만들지 않게 된다. 문제는 그 반대인 '불건강한 범위'를 향해 가는 것이다. 이것은 각 유형이 집착하고 있는 것들을 더 강화하는 것이다. 자신이 집착하고 있는 것이 잘 되지 않을 것 같다는 생각 때문에 방어기제를 써서 더 큰 갈등을 만들게 되는데, 이때 그동안 쌓였던 감정들이 폭발하는 모습을 보여주기도 한다. 수시로 갈등이 벌어질 수 있으며 언제 어떻게 폭발할지 모른다.

에니어그램이 말하는 갈등 해결의 지혜를 통해서 개인의 문제 해결뿐만 아니라 팀 운영에 대한 좋은 팁도 얻었을 것이다. 이제는 집착을 내려놓음으로써 건강한 범위로 정진해 나가는 것이 필요하다.

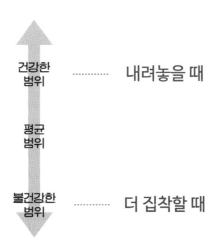

# 유형별 갈등 상황

## 1번 유형 갈등 사례
{완벽을 추구하는 사람}

A와 B는 같은 회사 마케팅 부서에서 함께 일하게 되었다. 1번 유형인 A는 프로젝트를 위해서 세심한 계획을 수립했으며 완벽하고도 명확한 비전을 가지고 있었다. 한편 B는 A보다는 느긋한 성격으로 좀 더 유연하게 프로젝트에 임했다. 프로젝트가 시작되면서 바로 갈등의 첫 조짐이 나타났다. A는 프로젝트의 각 단계를 세세하게 나누며 모든 과정을 목표화하고 계획한 대로 지키며 일을 진행했다. 한편 B는 일을 진행하며 예상치 못한 조정에도 열린 자세를 취하며 프로젝트를 개선할 수 있는 새로운 아이디어를 환영하고 항상 유연성을 유지하며 변화를 주고 싶어했다. B는 A가 계획을 엄격하게 고수하는 것이 창의성과 효율적인 문제 해결을 억제한다는 생각이 들어 매번 압박감을 느꼈다. A의 방식이 답답하고 이해가 되지 않는 것이다.

프로젝트의 핵심 요소가 예상치 못한 문제에 직면하면서 둘의 갈등은 고조되었다. A는 원칙을 고수하며 처음의 계획이 바뀌지 않기를 바랐지만 B는 계획에서 벗어나는 것을 제안하며 그런 접근이 더 빠른 해결책을 가져올 수 있다고 주장했다. 팀 미팅

중 A와 B의 치열한 토론은 큰 갈등으로 확대되었고 B는 결국 A에 대한 불만을 털어 놓았다. "제가 아이디어를 낼 때마다 A는 사사건건 흠을 잡고 있어요. 정말 꽉 막혀있는 사람이에요. 고집스럽고 유연성도 떨어져요. A는 효율적인 문제 해결을 방해하고 있어요." 한편 비판을 받은 A도 그동안 누르고 있던 화가 치밀어 올랐고 맹렬하게 분개하기 시작했다. "B는 일처리가 완벽하지 않고 엉성합니다. 프로젝트를 하는 과정을 보면 진지하지 않아요. 지금 저렇게 말하는 게 정말 어처구니 없습니다." 동료들은 두 사람이 충돌하는 것을 지켜보았으며 이들의 갈등을 어떻게 해결해야 할지 몰라 당황했다.

## 스트레스를 받는 갈등 상황

▸ 자신이 비판을 받을 때

▸ 다른 사람이 협조를 구하지 않고 계획을 변경할 때

▸ 업무 방식이 일관되지 않을 때

▸ 상대방이 실수를 해 나의 기준이 미치지 못했을 때

▸ 다른 사람이 일의 실행이나 마무리를 제대로 하지 않는다고 여겨질 때

▸ 다른 사람이 청렴성 부족 또는 윤리적 위반을 했을 때

1번 유형은 '완벽함'과 '옳음'에 집착한다. 자신과 타인에 대해 높은 기준을 세우고, 타인이 자신만큼 완벽함에 대해서 꼼꼼하지 않다면 스트레스를 받는다. 완벽함을 추구하다 보니 세세한 부

분까지 지나치게 신경을 쓰고, 아주 작은 부분까지 지적할 것이 눈에 들어온다. 불편한 감정을 스스로 억압하지만 못마땅해하는 표정 때문에 주변 사람들은 1번 유형의 눈치를 보게 된다. 1번 유형은 누군가에게 일을 맡기는 것이 어렵고, 자신의 손을 거쳐야 안심이 된다. 유연하게 계획을 변경하기보다 자신이 고수하는 원칙과 기준을 따르고자 한다. 실수를 허용하는 것이 어렵고, 유연성이 떨어진다는 인상을 준다. 자신이 비판을 받는 것에 대해서는 견디기 힘들어한다. 왜냐하면 자신보다 까다로운 기준으로 완벽을 위해 노력하는 사람은 없기 때문이다.

## 갈등에서의 모습

### 과도한 자기 비판

1번 유형은 스트레스를 받으면 자신에 대한 무조건적인 비판을 하기 시작한다. 자신의 능력과 성과에 대해서 불만족을 더욱 크게 느끼며, 자신의 기준에 부합하지 않는 행동에 대해 지나칠 정도로 자책하는 경향이 있다.

## 강박적인 행동

세세한 것에 대해서 과도한 집착을 보인다. 모든 것을 완벽하게 처리하려는 욕구 때문에 불필요한 세부사항에도 많은 시간과 에너지를 쏟는다. 이런 행동은 다른 사람들을 매우 피곤하게 만든다. 세부적인 점검을 따르지 않는 사람과 갈등이 바로 발생한다. 1번 유형은 세세한 체크 리스트를 만들어 상대에게 전달하기도 한다.

## 타인에 자신의 기준 강요

자신이 정해놓은 기준을 타인에게도 강요한다. 자신이 설정한 기준에 다른 사람들이 부합하지 않는다고 판단될 때 비판적인 태도를 보인다. 옳지 못한 행동이기 때문에 잘못된 것이라고 지적한다. 하지만 상대는 그런 비난을 듣기 좋아할 리 없다. 1번 유형은 원칙도 없는 사람과 함께 일을 하고 있다는 것이 후회스럽다.

## 긴장과 경직

갈등 상황이 계속되면 긴장하는 정도는 더 심해진다. 말이나 행동뿐만 아니라 사고하는 것도 경직되기 시작한다. 유연한 사고를 하지 못하고 오로지 업무를 완벽하게 처리하기 위한 방법에 더 많은 시간과 노력을 투입한다. 그리고 다른 사람들도 자신과 같은 방식으로 일하기를 원한다. 하지만 방식이 다른 주변 사람들은 1번 유형의 모습에 대해서 답답해하기 시작한다.


## 자신의 감정 억제

1번 유형은 스트레스를 받으면 자신의 감정을 드러내는 것보다는 참는 방법을 택한다. 그런 참는 모습은 주변 사람들을 불편하게 하는데, 1번 유형 자신뿐만 아니라 상대도 힘들게 만든다. 화가 난 감정을 누르고 업무에 집중하여 자신이 괜찮다는 것을 드러내지만 다른 사람들은 1번 유형이 스트레스를 받았고 지금 매우 답답한 방식을 취하고 있다는 것을 알고 있다.


## 자신에게 묻기

1번 유형은 스트레스를 받게 되면 자신의 속마음을 겉으로 표현하지 않는다. 무뚝뚝하게 말을 한다든가, 말하는 것을 줄이고 답답해하는 모습만 보인다. 때로는 다른 원인을 찾아 상대를 비난하는 경우도 있다. 상대방은 1번 유형이 왜 이런 모습을 보여주는지 구체적으로 알지 못한다. 1번 유형은 자신에게 이러한 모습이 나타날 때 바로 자신에게 질문을 하는 것이 필요하다. 물론 질문을 한다고 다 해결되는 것은 아니지만 자신을 구속하고 있는 것이 무엇인지 다양한 방식으로 바라보는 것이 필요하다.

"무엇이 나를 진정으로 화나게 하는 것인가?"

1번 유형은 원칙을 가지고 일을 처리한다고 주장할 수 있지만 스트레스를 받는 상황에서는 원칙이 많이 무너진 모습을 보여준다. 자신은 감정적이지 않다고 하겠지만 화가 가득찬 모습으로 말과 행동을 한다. 자신에게 다음과 같이 구체적으로 질문을 해보자.

---

"이러한 갈등 상황에서 상대방의 행동에 대한 나의 반응은 무엇이고, 이 반응에 대해 내가 어떻게 성숙한 모습으로 대처를 할 수 있는가?"

---

"내가 짜증을 낸 시점은 언제이고, 그 짜증을 낸 것에 대해서 다음에는 어떻게 반응을 할 것인가?"

---

## 갈등 사례 분석

앞서 살펴본 사례에서 1번 유형인 A는 자신만의 기준과 원칙이 있다. 하지만 B에게도 나름의 기준과 원칙이 있다. A와 B의 기준이 서로 다른 것이다. 서로에 대한 이해를 바탕으로 합의의 과정을 거치는 것이 중요하다. 1번 유형인 A의 특성을 살펴보면서 갈등을 해결하기 위해 A에게는 유연성이, B에게는 일관성을 유지하는 것이 필요하다. 에니어그램을 통해서 A는 자신에게 유연성이 필요하는 것을 비로소 알게 되었고, B를 바라보는 관점도 바꿀 수 있었다. 더 이상 B를 규칙과 원칙을 무시하는 이상한 사람으로 바라보지 않게 된 것이다.

## 2번 유형 갈등 사례
{도움을 주는 사람}

2번 유형인 C는 특별한 직급 없이 수평적이고 활기찬 스타트업에서 근무를 하고 있다. C는 평소에도 친절하고 상냥하며 도움을 주는 따뜻한 사람으로 평판이 나 있었다. C는 새로운 팀 프로젝트를 맡게 되었고, 7명의 팀원을 관리하는 팀장을 맡게 되었다. 프로젝트의 프리젠테이션 발표까지 남은 기한은 3주다. 7명의 팀원들과 함께 프로젝트를 진행하면서 2주를 이렇다 할 성과도 없이 그냥 흘려보내고 말았다. 이유는 C가 팀원들과의 긍정적인 관계를 구축하는 데 지나칠 정도로 시간과 에너지를 쏟았기 때문이다. C는 생산적인 결과를 위해서 조화롭고 편안한 작업 환경이 가장 필요하다고 확신했다. 그래서 업무 중에도 휴식과 팀 화합 활동을 장려하는 활동을 준비했는데 이것이 문제였다. 본격적으로 일을 추진할 시간을 이미 소모해버린 것이다.

갈등은 예기치 않은 상황에서 촉발되었다. 프리젠테이션 발표가 1주일 밖에 남지 않은 상황에서 압박감을 느낀 팀원들은 불안과 불만을 이야기하기 시작했다. 주도적인 성향을 가진 팀원 D가 팀장 C를 제치고 의사소통에서 더 강하고 주도적인 태도를 보이며 모두에게 무엇을 해야 하는지를 지시하기 시작했다. C는 이 상황이 못마땅해 회의실 밖으로 나가버렸다.

## 스트레스를 받는 갈등 상황

▸ 자신의 호의가 타인에게 무시당했다고 여겨질 때

▸ 타인이 자신의 말을 주목하지 않을 때

▸ 자신이 한 일이 그저 당연한 것으로 여겨질 때

▸ 본인의 노력과 봉사를 상대방이 무시할 때

▸ 타인의 도움이 필요한데 내가 도와줄 수 없을 때

2번 유형은 타인으로부터 사랑과 인정을 받고자 하는 욕구가 크다. 그래서 늘 관계지향적으로 행동하며 타인을 돕는다. 타인을 위해서 사는 것을 자신의 정체성으로 생각한다. 그런데 만약 상대가 자신의 호의와 도움을 받고도 아무런 반응을 보이지 않는다면 그것보다 더 큰 실망은 없을 것이다. 자신을 위해서가 아닌 항상 타인을 위해서 시간과 에너지를 사용하니 주변으로부터 고맙다는 이야기를 자주 듣는다. 그런데 그런 감사의 표현이 주변으로부터 없거나, 또는 자신의 봉사에 대해서 오해를 하는 일이 벌어진다면 2번 유형은 위기 상황에 빠지게 된다. 전보다 더 상대에게 집착을 하게 되는데, 상대가 원하지 않는데도 봉사를 더 강하게 하는 행동을 하게 된다. 또는 서운함을 느끼고 상대방을 비난하거나 험담을 하기도 한다.


## 갈등에서의 모습

### 과도한 도움 제공

대부분의 사람들은 상대에게 도움을 주었을 경우 반응이 없을 때 실망을 하고 도움을 주는 것을 중단한다. 하지만 2번 유형은 다른 행동을 보인다. 중단하는 것이 아닌 다른 사람을 더 돕는 것이다. 과한 도움에 대해서 대부분의 사람들은 부담을 느낀다. 그래서 중단하기를 원하는 신호를 주지만 2번 유형은 중단하지 않는다. 2번 유형 스스로도 자신을 챙기지 못하니 점점 삶이 망가지는 결과를 가져온다.


### 자기 부정 강화

자신은 항상 다른 사람을 돕는 사람으로 생각하는데 갈등이 심하게 되면 자신이 그런 도움을 주는 데 실패한 사람으로 여긴다. 자신의 가치를 부정하는 모습을 보이는 것이다. 자신의 가치는 자신에게서 찾아야 하는데 다른 사람에게 도움이 되었는지 그것을 확인함으로 가치를 찾으니 항상 누군가를 돕는 것에 집착하게 된다. 다른 사람을 돕기 전에 자신에 대한 사랑과 존중을 먼저 찾아야 한다.

## 타인의 감정에 집중

타인의 인정과 사랑을 얻으려는 욕구 때문에 자신의 감정을 숨기거나 억압한다. 반대로 다른 사람의 감정에는 집중하는 모습을 보인다. 상대의 기분을 민감하게 배려해 자신의 감정을 뒷전으로 미루며 자신이 해야 할 말도 하지 못한다. 자신이 손해를 보고 심지어 피해를 보더라도 그 감정을 억지로 부정하고 여전히 타인을 돕는다. 주변에서는 이런 모습에 대해서 올바르지 않은 모습이라고 조언을 하지만 그런 소리는 들리지 않는다.

## 물질적 피해에 대한 책임 회피

남을 돕는 일로 인하여 자신의 삶 또는 가족의 삶에 물질적인 손해를 가져올 수 있다. 보증을 서는 일, 또는 대출을 받아서 빌려주는 일 등이 있을 수 있다. 상대가 적절한 시점에 돈을 갚지 못한다면 2번 유형이 대신 그 빚을 떠안게 된다. 이런 피해가 벌어지도록 최종 결정한 사람은 2번 유형 본인인데 자신에게는 책임이 없다는 식의 다음과 같은 발언을 한다.

"저도 어쩔 수 없었어요."

"도와달라고 하는데 그럼 어떡해요? 도와주지 말아요?"

## 자신에게 묻기

"나는 왜 상대로부터 감사의 표현을 받고 싶어 하는가?"

"나는 감사 표현을 받기 위해서 주로 어떤 행동을 하는가?"

"나의 행동이 바뀌어 상대로부터 감사의 표현을 받지 못한다면 어떻게 될까?"

상대가 도와달라고 하지 않는 상태에서 내가 나서서 도움을 주는 이유는 그동안 인지하지 못한 나만의 목적이 있기 때문이다. 순수하게 상대를 돕는 것이 아니라 나의 욕구를 채우기 위해서 상대가 원하지도 않는 도움을 주는 것을 중단할 수 있는 질문을 스스로 해야 한다. 이를 통해서 2번 유형이 자신의 목적을 알게 된다면 앞으로는 자신에게도 초점을 맞출 수 있게 될 것이다. 감당할 수 없는 돈을 대신 빌려서 가져다주는 일을 없어야 하지 않겠는가.

또한 자신의 감정과 필요를 무시하지 않아야 한다. 타인의 요구와 필요를 살피느라 자신의 요구를 희생하는 경우는 없는지 살필 필요가 있다. 지나치게 관계성만을 추구하다가 핵심을 놓쳐서는 안된다. 자기 돌봄이 가장 우선되어야 한다는 것을 확실히 알아야 한다. 또한 다른 사람의 인정이나 사랑에 의존하지 않고도 가치 있는 존재임을 받아들여야 한다. 그리고 타인을 도우면서도 자신의 한계를 인지하고 자신의 능력 안에서 안정적으로 지원하는 방법을 실천해야 한다.


## 갈등 사례 분석

앞선 사례에서 2번 유형인 C는 팀원들과의 관계성에 지나치게 집중하는 모습을 보였다. 그로 인해 자신이 중점적으로 해야 하는 역할인 프로젝트의 추진을 제대로 이끌지 못해 팀에 불안감을 안겼다. 게다가 답답해하는 팀원 D를 나서게 만들었으며, 자신의 헌신과 노력이 인정받지 못한다는 생각에 회의장을 뛰쳐나갔다. 갈등은 이미 팀 내에 존재했지만 이 사건으로 인해 폭발하게 되었다.

C는 에니어그램을 통해 그동안 자신이 지나치게 관계성에 치우쳤다는 것을 인식하게 되었다. 업무적인 부분에서는 데드라인을 준수하고 결과를 만드는 것에 더 노력을 기울여야겠다고 다짐했다. D

가 자신의 권한을 침해한 것이 기분 나빴지만 그가 왜 그랬는지를 어느 정도 이해할 수 있었다. D또한 2번 유형인 C의 특성을 이해해 도발적으로 권한을 침해하는 행동을 하지 않으면서 필요한 점을 조심스럽게 제안하지 못한 것을 사과했다.

## 3번 유형 갈등 사례
{성공지향적인 사람}

3번 유형인 E는 F와 함께 새로운 프로젝트를 진행하게 되었다. E는 평소에도 야심차고 목표지향적인 모습을 보였다. 빠르게 주도권을 잡고, 목표를 높게 설정하였으며, 업무를 효율적으로 처리했다. 반면 F는 안정적이고 신중한 성격으로, 안전과 안정을 중요시하며 리스크를 최소화하는 것에 중점을 두었다.

프로젝트가 시작되면서 두 사람은 충돌하기 시작했다. F는 일을 진행하면서 발생되는 의문이나 의혹이 들 때마다 E에게 반복적으로 질문했다. 그 질문들은 E가 느끼기에 부정적이었으며 점점 F의 능력을 의심하게 되었다. F가 프로젝트를 진행함에 있어 효율을 방해하고 자신감을 떨어뜨릴 것 같았기 때문이다. 반면에 E는 인정을 받고 성공을 하고 싶었기 때문에 자신의 능력을 보여주기 위해 무엇을 하든 좋은 성과를 내기 위해서 노력했다. 하지만 F가 보기에 너무 무리한 진행을 하는 것같아 불안해 보였고 성공의 야심 또한 너무 강해 싫어하는 마음까지 생기게 되었다. 결국 프로젝트는 마무리되었고, E와 F는 다음부터 함께하지 않기로 결정했다.

프로젝트를 마치고 나서 E와 F는 식사자리에서 만나게 되었다. E는 F에게 참았던 이야기를 꺼내기 시작했다. "프로젝트를 마쳤지만 부정적인 의견을 계속 말하고, 직무을 할 때마다 사람을 불안하게 해 정말 프로젝트를 마칠 수 있을지 걱정이 많았습니다."
F도 E에게 할 말이 있었다. "사실 프로젝트를 할 때마다 다른 사람들로부터 그런 이야기를 듣곤 합니다. 하지만 전 E가 빠르게 일을 추진할 때 애매모호한 부분이 있다는 것을 발견했어요. 전 불안함을 느끼지 않을 수 없었어요. 전 그런 부분을 명확하게 하려고 의문이 생길 때마다 질문을 했던 것뿐이에요."

## 스트레스를 받는 갈등 상황

▸ 자신이 유능한 사람으로 보이지 않을 때

▸ 성공과 관련이 적은 일을 맡았을 때

▸ 자신의 능력에 대해 인정이나 보상이 부족할 때

▸ 다른 사람의 무능함 때문에 자신이 비난 받을 때

▸ 자신의 효율성을 인정받지 못할 때

▸ 부정적인 말을 하는 사람과 일할 때

3번 유형은 성공과 성취에 집착한다. 자신은 남들보다 더 유능하고 더 성공을 한 사람이라는 것을 보여주어야 한다. 만약 자신의 성공을 방해하는 것이 나타난다면 그것을 매우 불편하게 생각한다. 노력을 했는데 자신의 성과가 돋보이지 않을 때에도 스트레스를 받는다.

## 과도한 목표 지향

3번 유형은 성취욕이 강하며 그 모습이 다른 사람들 눈에는 과한 기회주의적인 모습처럼 보인다. 외부의 인정과 성과가 중요해 목표를 세우고 과감하게 추진한다. 목표를 세웠지만 그 과정이 순탄하지 않을 것이다. 하지만 3번 유형은 수단과 방법을 가리지 않고 목표 달성을 이루어낼 수 있다. 이때 주변 사람들을 수단으로 보는 모습 또한 보이기도 한다.

## 감정 억제

3번 유형은 자신의 감정을 억제하거나 무시하는 모습을 보여준다. 성공을 하기 위해서는 감정에 휘둘리면 안 된다고 생각하기 때문이다. 불안함을 느끼는 상황에서도 성공한 이미지를 연출하려고 불안감이나 부정적인 감정을 숨긴다. 자신감이 넘치는 모습을 항상 유지하는 것 같지만 사실 내면에는 불안감이 있다.

## 외부 평가 의존

자신의 만족을 다른 사람의 평가와 인정에 의존한다. 자신을 타인에게 제대로 보여주지 못했다고 생각이 들 때, 특히 실패한 듯한 느낌이 들 때는 자신이 가치 있는 사람이라는 것을 더욱 강조한다. 이 역시 다른 사람들의 인정을 확인하려고 노력하는 모습이다. 이 인정을 더 확실하게 하기 위해서 자신의 모습을 과하게 포장하기도 한다.


## 과도한 업무의 양

3번 유형은 많은 일을 진행하고 있을 가능성이 크다. 왜냐하면 성공을 하기 위해서는 무리한 양의 작업을 처리해야 가능한 경우가 많기 때문이다. 이미 지나치게 바쁜 상황에서도 더 큰 목표를 달성하기 위해서 일을 찾는다. 그중에 자신이 보기에 더 대단하다고 생각되는 일을 먼저 할 것이다. 상대적으로 가치가 떨어진다고 생각되는 일은 뒤로 밀려날 가능성이 크다. 일의 순서는 자신을 더 돋보이게 만드는 정도가 결정하게 된다.


## 경쟁과 비교 강조

다른 사람들과의 경쟁과 비교에 많은 집착을 하게 되는데, 그 이유는 자신이 다른 사람들보다 더 뛰어나다는 것을 강조할 수 있기 때문이다. 말로만 그러는 것이 아닌, 실제로 경쟁에서 뒤지지 않기 위해 과도한 노력을 기울인다. 매번 경쟁을 통해서 승리하고자 하는 모습 때문에 경쟁을 즐기지 않는 사람들은 3번 유형을 불편해한다. 왜 저렇게 힘들게 경쟁을 하는지 이해를 하지 못하지만 3번 유형에게는 매우 중요하다.

## 인간적인 면 무시

성공을 향해 달려가다 보면 성공과 직접적인 관련이 없는 것에 대해서 중요성도 찾지 못하고 자연스럽게 에너지를 쏟지 않게 된다. 그래서 자신에게 중요한 사람이 아니라고 생각된다면 그들의 도움 요청을 무시하기도 한다. 가족과 함께 여가 시간을 즐기는 것에도 시간을 쓸 수 없다. 심지어 자신의 내면적인 필요와 욕구도 무시할 수 있다. 자기 돌봄을 소홀히 하기 때문에 도대체 무엇을 위해서 저렇게 노력을 하는지 이해가 되지 않는다고 말하는 사람들이 있다.

자신에게 묻기

"난 성공한 사람으로 보이는 것이 왜 중요한가?"

"내가 성공을 중요하게 생각하지 않는다면 어떻게 될까?"

팀

성공을 위해서 몰두하는 자신의 모습을 한 발자국 물러나서 바라보는 것이 필요하다. 위와 같이 자신에게 질문을 해보자. 그러면 성공을 위한 것 이외의 것들이 눈에 들어오게 될 것이며, 주변에 도움이 필요한 사람들을 위해서 시간과 에너지를 쏟을 수 있게 될 것이다. 성공을 하기 위해서 중요하지 않다고 생각했던 것들에 에너지를 쏟게 되는 일이 벌어지니 스스로도 어색할 것이다. 하지만 주변 사람들은 누군가의 성공한 모습만을 가지고 그 사람을 평가하지 않는다는 것을 깨닫게 될 것이다. 비로소 다른 중요한 것들이 있음을 알게 되는 것이다. 심지어 자신의 건강을 위한 쉼도 가질 수 있게 된다. 이제는 업무를 하는 중간에 여유를 갖고 산책, 요가, 등산 등 자아성찰의 시간을 가질 수 있다. 자신의 부족한 모습에 대해서 다른 사람들과 이야기를 나누어 보는 것도 좋다. 사람은 누구나 약한 점이 있고 부족한 실력을 가지고 있다. 자신의 부족한 점을 도와달라고 타인에게 요청하여 도움을 받아보자. 서로 돕는 관계가 될 것이다.

## 갈등 사례 분석

앞선 사례에서 본 3번 유형인 E는 에니어그램을 통해서 자신의 집착을 인식하고 성공에 몰두하는 것을 줄일 수 있게 되었다. 자신과 다른 상대방의 욕구와 기준에 대해서도 인식할 수 있게 되었다. 그동안 성공을 위해서 열심히 노력하는 자신은 수고를 많이 한 사람이고 그렇지 않은 다른 사람에 대해서는 자신보다 수고를 하지 않는 사람으로 생각했다. 그래서 항상 문제가 상대에게 있다고 생각했는데 자신 때문에 상대가 얼마나 불편함을 느꼈을지 깨닫게 되었다. 또한 같이 일을 하는 사람들과도 경쟁하는 마음을 내려놓게 되니 협력 또한 가능하게 되었다. 당연히 팀의 분위기는 좋아진다. F에 대해서도 부정적으로 평가하는 것을 중단하게 되었고, 과정마다 고려해야 하는 위험과 리스크를 관리해 나가는 것이 프로젝트의 완성을 위해 큰 도움이 된다는 것도 깨닫게 되었다.

## 4번 유형 갈등 사례
**{특별함을 원하는 사람}**

예술 기획 회사에서 일하는 G와 H의 이야기다. 두 사람은 프로젝트를 함께 진행하게 되었다. G는 4번 유형으로 감수성이 풍부하다. 예술적으로 풍부한 아이디어를 제시하며 프로젝트에 자신의 개성을 녹여내고자 했다. 반면 H는 차분한 성격으로 미디어 분석과 전략적 사고를 통해 균형 잡힌 접근을 추구했다.

프로젝트가 진행되면서 두 사람은 충돌하기 시작했다. G는 자신의 창의성과 감정을 중요하게 여기며 자신의 아이디어를 완벽하게 구현하고자 했다. 프로젝트에서 자신의 독특한 정체성을 발견하고자 했으며, 이를 통해 자신만의 독특한 표현을 표출해야만 만족감을 얻을 수 있었다. 반면 H는 데이터와 분석을 기반으로 한 논리적인 접근을 추구하며 프로젝트의 목표와 전략을 중요시했다. 감정적인 측면보다는 실용적인 결과를 추구했고, 프로젝트의 성공을 위해 효과적인 전략을 설계하고자 했다.

갈등은 프로젝트의 컨셉을 결정할 때 더 고조되었다. G는 감정적으로 접근했으며 예술적인 면을 강조했다. 하지만 H는 실제적인 실현 가능성과 타당성을 강조했다. 팀 미팅을 할 때마다 두 사람은 다른 의견을 주장했고 갈등은 점점 커지기 시작했다. 어느 순간 G가 매우 날카로운 모습을 보이기 시작했다. 급격하게 우울감에 빠져 상대에게 쌀쌀맞은 말로 받아치는 것이다. G가 생각하기에 H는 상상력이 부족했고, H가 원하는대로 했다가는 프로젝트를 무미건조하게 만들 것이 뻔했다. G는 회의 때 이런 점을 지적하지 않을 수 없었던 것이다. 반대로 H가 보는 G는 비현실적이고 감정적이었다. 프로젝트가 이상한 방향으로 흘러갈 것 같아 매우 걱정이 되었다. 하지만 급격한 감정기복의 모습을 보여서 토론을 하자고 말을 걸지도 못하는 상황이었다.

## 스트레스를 받는 갈등 상황

▸ 주변 사람들이 자신을 이해하지 못할 때

▸ 자신의 능력과 개성을 인정받지 못할 때

▸ 창의성과 개성을 억누를 때

4번 유형은 특별한 개성과 독특함에 집착하는 모습을 보인다. 그래서 평범함에서 많이 벗어나 있다. 하지만 많은 사람들과 함께 살아가는 사회에서 어느 정도의 통일성은 필수적이다. 특히 몇몇 직종에서는 그런 점을 더 강하게 요구한다. 4번 유형 입장에서는 왜 그렇게 다른 사람들의 시선을 의식해야 하고 자신의 개성을 제한해야 하는지 이해할 수 없다. 한국 사회에서는 '개념이 없다'는 평가를 하기도 하는데, 4번 유형도 그런 평가를 잘 받는 편이라 조직 생활에 어려움을 겪는 경우가 많다.

## 갈등에서의 모습

### 자신에 대해 부정적

4번 유형은 스트레스가 커지면 자신에 대해 점점 부정적으로 판단하기 시작한다. 자신과 다른 사람들을 비교하면서 점점 자신의 부족함과 불완전함을 발견하게 되고, 상대를 질투하는 마음을 가지게 된다. 타인은 어떤 공격도 하지 않았지만 4번 유형은 자신에 대한 부정적인 생각으로 타인을 공격하게 된다.


## 감정 기복

어느 유형보다도 감정을 가장 과도하게 사용한다. 자신의 감정 속에 깊게 빠지게 되는데, 슬픔이나 분노와 같은 부정적인 감정에 빠지면 자신을 비극의 주인공으로 여긴다.

과도한 감정 기복의 모습도 보인다. 오전에는 괜찮았는데 오후에 갑자기 불안, 우울, 분노 등의 감정이 급격하게 엄습해 온다. 특별한 이유가 있는 것은 아니다. 주변 사람들은 그 이유를 모르고 가까이 다가가기 불편해한다. 혹시 4번 유형이 자신에게 불만이 있어서 그런 모습을 보이는 건지 오해를 하기도 한다. 감정을 잘 사용하지 않는 3번, 5번 유형이 특히 더 이 상황을 이해하지 못한다.


## 스스로 고립

과도한 감정 상태에 빠져 다른 사람들이 이해하지 못할 상태를 유지한다. 4번 유형도 다른 사람들이 자신을 이해하지 못한다고 생각해 점점 고립된다. 사람들과의 대화도 줄어들고 갑자기 소식이 끊어진다. 그러다가 어느 순간 스트레스 상황으로부터 벗어나게 되면 갑자기 다시 나타나 교류를 시작한다.

## 세상으로부터의 탈출

4번 유형은 이 세상이 자신을 이해하지 못한다고 결론을 내린다. 마음은 불안, 불만, 자기비하 등의 상태를 유지하게 된다. 우울한 상태가 계속 되니 이 세상에는 답이 없다고 결론을 내리고 우울증에 빠져 극단적인 결정을 내리기도 한다. 감정을 잘 사용하지 않는 유형들이 보았을 때 이해하기 어려운 부분이다. 세상에 적응을 하든가 아니면 극복하려는 자세를 취하면 되는데, 오히려 포기를 하니 납득이 되지 않는 것이다.

## 자신에게 묻기

4번 유형은 남들과 다르고자 하는 욕구가 있다. 평범한 것으로부터 벗어나고자 노력한다. 어느 정도 통일성을 원하는 세상에서 자신은 이해를 받지 못한다고 생각한다. 갑자기 우울감에 빠져 고립되는 상태를 만드는데, 주변 사람들은 이런 4번 유형을 이해하지 못해 관계를 기피하려고 한다. 그들이 볼 때는 '이상한 사람'인 것이다. 4번 유형은 이런 독특한 감정 상태에 빠지는 것에 대해서 자신에게 다음과 같이 물어보자.

팀

"나는 왜 우울감에 빠지게 되는가?"

"나는 왜 다른 사람들과 다르고자 노력할까?"

"다른 사람들과 비슷하게 되면 어떤 문제가 있는가?"

"나는 우울과 질투를 느끼는 것을 진정으로 원할까?"

"나의 우울 뒤에 감추어진 감정이 있지는 않을까?"

## 갈등 사례 분석

앞선 사례에서 4번 유형인 G는 에니어그램을 통해 자기인식을 할 수 있었고, 상대의 모습에 대해서도 이해할 수 있게 되었다. G는 자신의 감정 변화가 있을 때 그 감정에 지배당하기보다는 자신에게 질문을 해 보았다. 감정기복이 자신이 원하는 것이 아니라는 것을 알게 되었고 스스로 그런 모습을 통제할 수 있게 되었다. 또한 모든 사람들이 감정적인 판단을 통해서 일을 진행하는 것이 아니라는 것도 알게 되었다. 그동안 자신이 고집했던 예술적인 목표는 4번 유형만의 방식이라는 것도 알게 되었고, H의 의견을 진지하게 듣고 협상을 할 수 있었다. 자신의 감성적인 표현과 창의성은 살리면서 자기 것만을 고집하지 않기로 한 것이다. 즉, G는 이전의 모습과는 달리 실현 가능성이 있는 목표를 세우는 쪽으로 방향을 전환할 수 있게 되었다. 더 나아가 데이터의 중요성을 이해하고 받아들일 수도 있게 되었다. G가 에니어그램을 통한 자기보기가 되지 않았다면 데이터를 살피는 것은 무조건 반대했을 일이다.

## 5번 유형 갈등 사례
**{지식을 추구하는 사람}**

전문 기술 회사의 I와 J는 복잡한 프로젝트를 함께 수행하게 되었다. 5번 유형인 I는 명확한 정보에 기반한 분석적인 접근을 추구하여 프로젝트의 세부사항을 꼼꼼하게 파고들었다. 반면에 J는 행동이 민첩하고 즉각적인 실행을 통해 시행착오를 거쳐 일을 개진해 나갔다. 또한 일과는 별개로 사람들 사이의 친밀함을 중요하게 생각했. 프로젝트가 진행되면서 두 사람은 충돌하기 시작했다. I는 결정을 하기 전에 분석의 단계를 꼭 거치는 것을 강조했다. 그래서 전체적인 진행 단계에 대해서도 시뮬레이션의 과정을 따져보자고 제안했다. 반면에 친목 도모와 같은 사적인 교류는 허용하지 않았다. 하지만 J는 그런 I가 너무나 답답했다. 인간적으로 친해질 수 없는 사람이라고 생각할 수밖에 없었다. I의 이야기는 가만히 앉아 탁상공론이나 하는 것처럼 생각되었다. 팀 미팅을 하는 중에 두 사람의 갈등은 폭발했다. I는 J가 생각 없이 행동하는 사람이라며 프로젝트의 안정성을 위협하고 있다고 비난했다. 반대로 J는 I가 지나치게 따지기만 하고 행동으로 옮기지는 않고 인간미도 없는 사람이라고 비난했다.

## 스트레스를 받는 갈등 상황

▸ 독립적인 환경을 보장 받지 못할 때

▸ 충분한 정보를 얻지 못한 상태에서 결정을 강요당할 때

▸ 바로 행동으로 옮기기를 강요당할 때

▸ 근거가 없는 내용을 주장할 때

▸ 다른 사람들이 자신의 지식과 정보를 듣지 않고 받아들이지 않을 때


5번 유형은 지식에 집착한다. 정확한 정보가 없는 상태에서 어떤 일을 실행하기를 강요당한다면 움직일 수 없다. 5번 유형에게는 충분한 설명 없이 명령을 바로 따르기를 원하는 사람들과 함께 일할 때 문제가 발생한다. 설명을 해주더라도 그 내용이 이해되지 않으면 행동으로 옮길 수 없다. 예를 들어 혈액형을 성격과 연결해서 조직관리를 설명하는 사람이 있다고 해보자. 5번 유형은 이런 내용을 듣는 것이 매우 불편하다. 왜냐하면 혈액형과 성격은 아무런 관계가 없기 때문이다. 그리고 그 말을 한 사람을 신뢰할 수 없다. 말도 안되는 내용으로 교육하고 있으니 그 사람의 지적 수준을 판단할 수 있는 것이다.

정확한 정보를 말할 때 받아들이지 않는 자세를 취하는 사람이 있다면 그는 5번 유형일 가능성이 크며 그 자리에 앉아 들을 때 호응을 하지 않을 뿐만 아니라 스트레스도 크게 느낀다.

## 사회적 회피와 고립

5번 유형은 스트레스를 받으면 사람들과의 교류를 최소화하고 고립된 환경에서 시간을 보내는 것을 선호한다. 스스로 고립을 선택했기 때문에 외로움을 느끼지는 않고 오히려 고립을 편한 상태라고 생각한다. 이때 주변에서 다가가 친해지려고 노력한다면 5번 유형은 별다른 반응을 보이지 않을 것이다. 왜냐하면 5번 유형이 원하는 고립을 방해하는 것이 되기 때문이다.

## 과도한 정보 수집과 분석

5번 유형은 더 많은 정보를 수집하고 분석하려는 모습을 보인다. 불확실한 상황에서 행동으로 실천하는 것을 중단하고 모든 가능한 정보를 파악하려 노력한다. 이로 인해 정보의 과부하가 있는 것이 사실이다. 그런데 언제까지 정보를 수집할지 그 한계가 어디까지인지는 알 수 없다. 그래서 행동력 부족의 모습이 유지된다.

## 자아보호와 비밀 유지

자신의 이야기가 밖으로 새어 나가는 것을 원하지 않는다. 그래서 다른 사람들에게 자신의 내면 세계에 대해서 잘 이야기하지 않는다. 5번 유형은 다른 사람들의 이야기에 대해서도 그리 관심을 보이지 않는다. 이런 모습 때문에 주변 사람들은 5번 유형이 어떤 사람인지 그 속을 알 수 없다고 말한다.

## 공격성과 비판

평소에 조용하지만 스트레스를 받게 되면 평소와 다르게 공격적인 태도를 보이기도 한다. 이들이 공격적으로 변할 때는 자신의 영역이 침범을 당할 때이다. 이때는 예민해지면서 다른 사람들을 비판하거나 냉소적인 태도를 보이기도 한다. 상대가 어떻게 자신을 불편하게 했는지 그 내용을 객관적으로 표현할 뿐 감정적인 표현을 하는 것은 아니다. 그리고 그 부분만 해결되면 공격성을 바로 중단하게 된다.

## 건조한 분위기

지속적인 정보수집과 분석의 과정으로 인해 정신적으로 매우 피곤함을 느낀다. 사람은 누구나 주변 사람들과의 교류를 통해서 긍정적인 스트로크를 얻는 것이 필요한데 5번 유형은 그 충족의 기회가 매우 제한적이다. 이로 인해 생기가 넘치는 모습, 열정적인 모습은 기대하기 힘들다. 매우 건조한 상태를 유지하고 있을 뿐이다.

## 감정 억제와 이성 중심

정보를 수집하고 분석하는 5번 유형은 감정을 사용할 일이 그리 많지 않다. 감정 사용이 의미 없다고 생각하고 감정을 억제하거나 무시하려는 경향을 보인다. 논리적 사고와 이성적인 접근을 강조하며 감정적인 면을 배제해야 한다고 말한다. 감정적인 교류 나누기를 원하는 사람들과 대화하는 것을 힘들어할 뿐만 아니라 무의미하다고 생각하기도 한다. 배우자와 자녀들과도 대화를 나누는 것에 문제가 있을 수 있다.

## 다른 일에 무관심과 회피

행동으로 옮기지 않고 정보를 수집하고 분석하는 일을 주로 하는 5번 유형은 다른 일에 관심을 가질 여유가 없다. 자신이 선택한 일만 하더라도 그 정보를 수집하고 분석하는 일에 많은 시간과 에너지를 쏟고 있다. 예상치 못한 문제를 만나게 되면 빨리 처리하지 않고 미루거나 피하는 방식을 선택하기도 한다. 그것을 처리할 여유가 없기 때문이다. 이것은 5번 유형이 무심해 보이는 이유가 되기도 하다.

## 자신에게 묻기

5번 유형은 자신을 드러내는 대화를 거의 하지 않기 때문에 업무를 할 때도 동료들과의 관계가 그리 원활하지 않은 편이다. 그렇다고 5번 유형이 그런 자신에 모습에 대해서 불편해하거나 하는 것은 아니다. 왜냐하면 스스로는 관리가 잘 되고 있기 때문이다. 하지만 이런 모습에 대해서 5번 유형은 괜찮다고 판단할 것이 아닌 문제라고 여겨야 한다. 스스로 고립되고 있으며, 사람들 사이의 관계를 통해서 발전할 수 있는 기회를 스스로 박탈하고 있는 것이다. 그래서 5번 유형은 다음과 같은 질문을 자신에게 해봐야 한다.

"다른 사람들은 나의 정보 수집과 분석에 대해서 어떻게 생각할까?"

"나는 왜 사람들과 교류하는 것을 피할까?"

"사람들과 교류를 하면 어떤 장점이 있을까?"

"나는 왜 다른 사람들의 감정을 살피는 것에 무심할까?"


## 갈등 사례 분석

앞선 사례에서 5번 유형인 I 는 에니어그램을 통해 자신이 어떤 모습을 보여주는지 객관적으로 바라볼 수 있게 되었다. 자신이 왜 실행으로 옮기지 않고 계속 분석을 하고자 했는지, 그것을 다른 사람들은 왜 답답해 했는지 알게 되었다. 또한 사람들과의 교류를 피하는 모습 때문에 사람들과 친해질 수 없다는 것도 알게 되었다. 5번 유형인 I가 자신의 집착을 내려놓음으로 '행동으로 옮기는 것', '주변 사람들과 교류를 하는 것'을 허용할 수 있게 된 것이다. 이제 I와 J 사이에는 이전과 동일한 갈등이 벌어지지 않게 되었다. 이전의 충돌하는 접근 방식을 협력적인 파트너쉽으로 변화시킨 것이다.

## 6번 유형 갈등 사례
{안전을 추구하는 사람}

보안 기술 회사에서 근무하는 K와 L은 같은 프로젝트를 수행하게 되었다. K는 6번 유형으로 신중한 성격이다. 안전과 안정을 중요시하며 리스크를 최소화하고자 했다. 반면에 L은 신속한 의사결정을 강조하며 새로운 상황에 빠르게 대처하려 노력했다.

프로젝트가 진행되면서 두 사람은 충돌하기 시작했다. K는 계획을 철저히 세우고 모든 가능성을 고려하여 안전성을 보장하고자 했다. 프로젝트의 성공을 위해 사전 대비에 총력을 기울였다. 하지만 L은 K와는 달리 유연한 접근을 통해 새로운 상황에 빠르게 적응하고 대처하고자 했다. 그는 즉각적인 대처와 신속한 의사결정을 통해 프로젝트를 진전시키는 것이 중요하다고 주장했다.

갈등은 프로젝트의 방향성을 결정해야 할 때 고조되었다. K는 안정성을 강조하여 예기치 않은 위험을 최소화하고자 했지만 L은 새로운 아이디어와 대응력을 중시하여

팀

프로젝트의 진전을 빠르게 이루자고 주장했다. 결국 이 둘의 갈등은 최고조에 이르게 되었다. K가 보았을 때 L은 경솔하고 무책임한 사람이었다. L의 주장대로 하다가는 프로젝트의 안정성을 보장할 수 없다고 생각했다. 반면에 L이 보기에 K는 지나치게 보수적이고 변화에 저항하는 사람이다. 그래서 일의 진행을 서두를 때마다 불평을 쏟아내는 사람이었다.

## 스트레스를 받는 갈등 상황

▸ 애매모호하거나 명확하지 않을 때

▸ 안전에 대한 명확한 지침이 없을 때

▸ 갑작스러운 변화가 있을 때

▸ 상대방이 진심이 아니라고 느껴져 의심이 들 때

▸ 상대가 어떤 사람인지 몰라 믿을 수 없을 때

6번 유형은 자신의 안전이 확실하게 보장되지 않으면 불안감을 느낀다. 명확하게 정보와 지침이 있어야 마음이 놓인다. 원래 계획에 없던 내용이 갑자기 추가된다면 그것을 쉽게 받아들일 수 없다. 불가피하게 계획이 수정되더라도 그에 대한 상세한 내용이 함께 제공되어야 한다. 또한 처음 만나는 사람이거나 아직 신뢰를 할 수 없는 사람이라고 판단될 때는 불안함을 느낀다. 스스로 먼저 주변 사람들에게 다가가는 스타일이 아니다.

## 갈등에서의 모습

### 불안과 불신

6번 유형은 불안감이 많다. 스트레스를 받으면 원래 많은 불안감이 더욱 커져 자신뿐만 아니라 주변의 모든 것에 대해서 불신을 하게 된다. 자신의 판단과 결정에 대해서도 믿지 못해 어떤 결정을 하는데 어려움을 겪는다. 다른 사람들에게 묻고 조언을 구하지만 그들 또한 믿지 못한다. 타인에게 질문을 하지만 결과적으로 그들의 조언 또한 받아들이지 않는다.

### 자기 의심과 자기 비판

자신을 믿지 못하니 어떤 결정을 내리지 못한다. 주도적으로 뭔가를 하지 못해 능력이 있는 모습을 보여주는 것이 힘들다. 결정을 하더라도 어느 순간 자신의 생각이 잘못된 것은 아닌가 하는 자기비판에 빠진다. 주변에서 주체성과 자존감을 가지라고 말을 하지만 귀담아 듣지 않는다. 안절부절 못하는 불안한 모습을 일관되게 보여준다.

## 최악의 상황을 생각

6번 유형은 스트레스를 받으면 불안감을 넘어 최악을 상황을 생각한다. 모든 상황에 최악의 결과가 발생하면 어떻게 하냐고 꾸준히 주변에 다음과 같이 묻는다. "그런데 그런 문제가 생길 수도 있잖아. 만약에 생긴다면 어떡해?" 상대는 꼭 그렇지는 않다고 다음과 같이 답변을 할 것이다. "물론 그럴 수 있지만 그것은 매우 가능성이 낮아. 그렇게 따지면 이 세상에 되는 게 어디 있니?" 이렇게 말을 해도 6번 유형은 비관적으로 생각하는 것을 멈추지 않는다. 상대도 더 이상 조언하는 것을 포기하게 된다. 왜냐하면 조언을 해줘도 듣지 않는다는 것을 알았기 때문이다.

## 타인 의심

6번 유형이 타인을 잘 믿지 못하는 것을 다른 사람들은 잘 알지 못한다. 왜냐하면 상대에게 꾸준히 의견을 구하기 때문에 받은 의견을 잘 반영하는 사람처럼 보이기 때문이다. 6번 유형은 누군가 자신에게 접근하게 되면 어떤 목적과 의도가 있다고 의심을 한다. 그렇지 않다고 말을 해줘도 아니라고 생각하며 자신만의 추리를 통해 의심을 점점 확대시킨다.

## 자신에게 묻기

6번 유형은 과도한 불안과 의심의 모습을 보인다. 자신도 믿을 수 없고 타인도 믿을 수 없기 때문에 점점 비관적인 해석을 하게 된다. 하지만 이런 마음 상태에서는 그 어떤 것도 올바로 판단할 수 없다. 6번 유형과 함께 있으면 이들의 부정적인 의견과 반복된 질문으로 인해 피곤함을 느끼게 된다. 이것은 6번 유형의 집착으로 나타난 결과인데, 이 악순환을 끊기 위해서는 다음과 같은 질문을 스스로에게 해 보는 것이 필요하다.

---

"최악의 상황을 상상하는 것이 내 인생에 어떤 영향을 미치는가?"

---

"타인의 행동을 내 주관대로 해석하는 진짜 목적은 무엇인가?"

---

"타인에 대한 의심을 중단하고 신뢰를 하게 된다면 나는 어떻게 될까?"

---

"행동으로 옮길 것도 아닌데 반복적으로 타인에게 질문을 왜 하는가?"

---

"나 자신의 의견에 대해서 나 스스로 왜 신뢰를 하지 않는가?"

---

"걱정하는 것만으로 시간을 너무 허비하고 있지는 않은가?"

---

## 갈등 사례 분석

앞선 사례의 6번 유형 K는 에니어그램을 통해 자신의 신중함이 누군가에게 매우 불편함을 준다는 것을 알게 되었다. 때로는 빠른 대처를 실행하는 것이 매우 중요하다는 것을 제대로 이해를 한 것이다. 반대로 L은 6번 유형의 안전성과 준비성이 매우 중요하다는 것을 알게 되었다. 서로의 스타일을 반대할 것이 아니라 상황에 따라 조화롭게 사용하면 매우 좋은 효과를 만들어낼 수 있다는 것에 서로 합의를 할 수 있게 되었다. 즉, '신중함'과 '실천'은 서로 반대가 아닌, 서로에게 모두 필요하면서 활용 가능한 특성이 된 것이다. 둘은 서로에게 부족한 부분을 인정하고 상대의 특징을 존중하게 되었다. 서로를 필요로 하지 않을 수 없게 된 것이다. 억지로 하는 타협이 아닌 이해를 통해 K와 L은 더 이상 충돌을 할 이유가 없어졌다. 서로에게 너무나 필요한 파트너였던 것이다.

## 7번 유형 갈등 사례
### {재미를 추구하는 사람}

마케팅 회사에서 일하는 L과 M은 이번에 같은 프로젝트를 진행하게 되었다. 7번 유형인 L은 열정적인 사람으로 새로운 아이디어와 경험을 추구하며 창의성을 중요시했다. 반면 M은 논리적 사고와 효율성을 강조하며 목표 달성을 위해 계획적으로 접근을 했다.
프로젝트가 진행되면서 두 사람은 충돌하기 시작했다. L은 꾸준히 새로운 아이디어를 내놓았고 그런 의견들이 반영되기를 기대했다. 하지만 M은 이런 L의 모습이 불편했다. M은 목표를 달성하기 위해 계획을 세우고 효율적인 방법을 찾고 싶었다. 현재의 상황을 분석하고 최적의 전략을 수립하는 것이 반드시 필요하다고 생각했다. 그런 점에서 L의 모습은 매번 일을 망치는 것처럼 보였다.

갈등은 프로젝트의 방향성에 대해서 이야기를 할 때 더 고조되었다. L은 여전히 새로운 아이디어를 냈고 프로젝트가 상황에 맞게 진화할 수 있다고 주장을 했다. 하지만 M은 처음에 세운 계획대로 흔들림 없이 가기를 원했다. 좀처럼 두 사람의 갈등은 좁혀질 기미가 보이지 않았다. 결국 L은 M이 너무 진부한 사람이라고 비난을 하기 시작했으며, M 또한 그동안 쌓아둔 속마음을 드러냈다. M은 L의 시시각각 흔들리는 마음 때문에 같이 일을 하는 것이 힘들며 그의 아이디어는 매우 현실성이 떨어진다고 비난했다.

## 스트레스를 받는 갈등 상황

▸ 지루하거나 평범한 일을 반복적으로 해야 할 때

▸ 공통된 생각을 하도록 강요받을 때

▸ 한 장소에서 장 시간 일을 할 때

▸ 새로운 의견을 내는 것에 대해서 비판을 할 때

▸ 정해진 규율이 많을 때

7번 유형은 '변화를 하는 것'에 대해서 허용이 잘 되는 환경을 원한다. 반대로 제약이 많은 환경에서는 스트레스를 받는다. 늘 새로운 경험을 할 수 있어야 하는 것이다. 반복되는 일상과 업무에 대해서 지루함을 쉽게 느낀다. 조직 생활에서도 자유롭게 활동하기를 원하지만 현실적으로 많은 조직에서는 그런 자율성을 허락하지 않는다.


## 갈등에서의 모습

### 현실 회피

7번 유형은 답답한 현실을 극복하려고 노력하기 보다는 회피하는 것을 선택한다. '회피'라는 개념에서 9번 유형과 같은 모습이라고 할 수 있지만 회피하는 방식은 다르다. 9번 유형이 아무 것도 하지 않는 것을 선택하는 것이라면 7번 유형은 새로운 일을 찾아 떠나는 것이다. 항상 즐거운 모습을 유지하는 것처럼 보이지만 현실을 회피한 모습의 일면일 뿐이다.


### 버거운 자신의 계획

불편한 현실을 회피하기 위해서 다른 활동을 만들게 되며 그 활동 속으로 도피를 하는 것이다. 갑자기 새로운 계획을 세운다는 것은 집안에 가만히 있지 못하고 반복적으로 외출을 하는 모습이라고 할 수 있다. 그런데 이런 식으로 계획을 계속 세우게 되면 어느 순간 다 감당하는 것이 버거워진다. 이것저것 저질러 놓은 일들이 많아서 수습을 하지 못하는 것이다. 7번 유형은 열정적이지만 이럴 때는 산만해 보인다.

## 즉흥성

7번 유형은 어떤 결정을 할 때 신중한 사고의 과정을 거치지 않고 갑자기 결정할 때가 많다. 주변에서 보았을 때는 왜 저런 일을 하는지 이해가 안 된다. 하지만 7번 유형 본인은 바쁜 자신의 삶이 매우 보람된다고 생각한다. 새로움을 추구해 충동적으로 내린 결정이 많고 그것을 끝까지 마무리를 지어야 하는 이유를 찾지 못해 중간에 그만두기도 한다.

## 진지함 부족

7번 유형이 새로운 것을 추구할 때는 그 선택 기준에 반드시 '재미'가 들어있다는 것을 발견하게 된다. 불편한 현실을 피하기 위해서 재미있는 일만큼 좋은 대체 상황은 없다. 그런데 불편한 것을 극복하려면 그 불편한 현실을 받아들이고 더 깊게 들어가야 한다. 하지만 7번 유형은 계속 다른 일로 회피해버리니 문제의 내용 속으로 깊게 들어갈 수가 없다. 이것은 이들을 진지하지 못한 사람이라고 평가하게 만든다. 누군가 불편한 현실에 대해서 이야기를 꺼내면 7번 유형은 자꾸 그 대화를 회피하려고 할 것이다. 이 모습은 상대의 말에 집중하지 않는 배려심이 없는 모습처럼 보일 수 있다.

## 자신에게 묻기

7번 유형은 불편함을 느낄 때 그것을 직면하지 않고 다른 것을 함으로써 불편함을 피하고자 한다. 재미있는 일을 선택해 바쁜 일상을 만들어 불편한 현실을 잊고자 노력하는 것이다.

7번 유형은 자신이 갈등 상황에 놓였을 때 무의식적으로 다른 활동으로 주의를 돌린다는 것을 알아야 한다. 불편함을 만나게 되면 상대와 대화를 하면서 풀어갈 수도 있을 것이다. 하지만 7번 유형은 그렇게 대화하는 것을 불편하게 여긴다. 그 불편함을 어떻게 해서든 피하고자 다른 활동으로 전환시킨다. 이것은 불편한 갈등 상황을 방치하는 것이다. 해결하지 못한 갈등은 더 커지게 될 수 있으니 다음과 같은 질문을 자신에게 해 보자.

"나는 왜 지금 상대방의 말에 집중을 하지 못하는가?"

"내가 외부로 활동을 더 많이 늘린다고 나의 불편함이 사라질까?"

"나는 단순히 불편한 감정으로부터 도망을 하는 것은 아닐까?"

"내가 가장 힘들어하는 상대방의 이야기는 무엇인가?"

"내가 바쁘게 활동하는 이유는 무엇일까? 과연 다 필요한 일들인가?"

## 갈등 사례 분석

앞선 사례에서 7번 유형인 L은 에니어그램을 통해 그동안 간과했었던 계획의 중요성을 받아들이게 되었다. 반대로 M은 창의성과 새로운 아이디어의 중요성을 실감하게 되었다. L은 그동안 자신이 재미를 추구하는 방식으로 일을 처리했다는 것을 알았고, 왜 진행 과정 중에 변경을 해야 할 상황이 많이 벌어졌는지 인식하게 되었다. 최종 결과물이 처음에 계획한 것과는 다른 경우가 많았는데 그 이유가 처음부터 신중한 계획을 세우지 않았음을 알게 되었고, M의 모습에서 자신이 무엇을 배워야 할지 알게 되었다. M은 자신과 잘 맞지 않는 유형이라 생각해 이전에는 접촉하기를 꺼렸지만 이제는 꼭 필요한 보완의 파트너라는 것을 확실히 인정하게 되었다.

# 8번 유형 갈등 사례

**〈강함을 유지하는 사람〉**

같은 금융 회사에서 일하는 N과 O는 이번에 동일한 프로젝트를 수행하게 되었다. 8번 유형인 N은 자기주장이 매우 강한 사람이라 목표를 달성하기 위해서 힘과 통제권을 발휘해 추진력 있게 일을 진행했다. 반면 O는 N과는 달리 힘을 사용하지 않고 협력적인 면을 중요하게 생각해 주변 사람들의 감정을 잘 배려하면서 일을 진행했다.

프로젝트가 진행되면서 두 사람은 충돌하기 시작했다. N은 결단력 없는 O의 모습에 답답함을 느끼게 되었다. N는 목표를 성공적으로 마무리하기 위해서 주도권을 가지고 강하게 밀어붙였지만 항상 O의 반응이 마음에 들지 않았다. O는 다양한 의견을 수렴하고 팀원들과 협력을 하자고 주장을 했다. 그런데 N이 보기에 O는 우유부단함을 항상 유지하는 것처럼 보였다. 왜냐하면 모든 사람들의 의견을 다 수렴해서는 정해진 날짜까지 일을 마칠 수 없기 때문이다. O의 느긋함을 계속 지켜볼 수 없었던 것이다. 하지만 O가 보기에 N은 독재적으로 일을 추진하고 있었다. 힘들어 하는 사람들이 있는데도 N는 그런 점들을 배려하지 않고 오직 자신이 정한 목표대로 진행을 하고 있었다. 감정도 없는 사람처럼 보였고 더 이상 함께 할 마음조차 생기지 않았다. 결국 서로 참지 못해 폭발했고 비난하기 시작했다.

## 스트레스를 받는 갈등 상황

▸ 내가 하고자 하는 일을 누군가 반대할 때

▸ 문제를 직접적으로 다루지 않을 때

8번 유형은 본인이 통제권을 갖는 것이 중요하다. 누군가 자신의 통제권을 뺏고자 한다면 그와 전쟁을 벌일 수 있다. 또한 자신의 주장이 받아들여지지 않으면 매우 화를 낸다. 성격이 급해서 의견을 말할 때 강하고 분명하게 전한다. 만약 상대가 불분명하게 의견을 표현하면 그런 말을 듣는 것을 매우 힘들어하며 화를 내기도 한다. 강하게 화를 내는 8번 유형에게 주변 사람들은 맞받아치지 못해 자연스럽게 8번 유형의 독재적인 자리가 마련이 된다.

## 갈등에서의 모습

### 과도한 통제와 공격성

자신의 뜻대로 이루어지기를 원하는 8번 유형이 스트레스를 받게 되면 그 목적을 확실하게 이루기 위해서 더 많은 통제와 강제성을 행사하려고 한다. 더 강한 주장을 하게 되고 다른 사람들이 그것을 따르도록 통제한다. 이런 상황이 반복되면 주변 사람들은 8번 유형이 항상 화가 나 있는 것처럼 생각해 가까이 다가가지 못한다. 말을 걸더라도 공격적인 말투로 답변을 하니 8번 유형과 대화하는 것을 꺼리게 된다.


## 어려운 타협

8번 유형은 자신이 결정한 방식을 바꾸려고 하지 않고, 자신이 원하는 방식으로만 진행되기를 원한다. 누군가 조심스럽게 더 좋은 의견을 제안하면 그것을 좋은 아이디어로 생각하지 않고 자신의 뜻을 방해하는 것으로 받아들인다. 이들의 고집을 그 누구도 꺾지 못한다.


## 강함 유지를 위한 거리 두기

자신의 강함을 유지하기 위해서 사람들과 거리를 두고자 한다. 다른 사람의 말을 듣고 그것을 허락하면 자신이 왠지 약하게 되었다고 생각한다. 그래서 주변 사람들과 친하게 지내는 것도 거부한다. 왜냐하면 인간적으로 친분이 생기면 거절을 하는 것이 어려워지기 때문이다. 자신의 약한 점도 노출될 수 있으니 확실히 거리를 둔다.

## 자기 주장을 하는 회의

8번 유형의 고집은 다른 유형들이 보기에 독선적이다. 회의를 할 때는 상대방의 의견을 듣고 좋은 것은 수용할 수 있어야 하는데 전혀 그런 모습을 보여주지 못한다. 반대 의견을 내놓는 사람을 적으로 간주해서 적대적인 태도를 취한다. 회의를 하자고 모였지만 결국 8번 유형이 주장을 하는 시간이 되어 버린다. 점점 다른 사람들의 불만이 쏟아져 나오게 된다. "이런 회의는 하지 말자고!"

## 감정 표현의 어려움과 냉담함

감정 표현을 잘 하지 않는 유형이 있음을 앞의 다른 유형 설명에서 언급했다. 8번 유형도 감정 표현을 잘 하지 않는데 그 이유는 좀 다르다. 8번 유형은 자신의 감정을 표현하는 것을 자신의 약함을 드러내는 것으로 생각한다. 그래서 감정을 배제해 항상 강한 모습을 유지한다. 조금이라도 감정적인 모습을 드러내면 자신의 정체성에 큰 문제가 생기는 것으로 생각해 절대로 울거나 슬퍼하는 모습은 보이지 않는다.

## 자신에게 묻기

8번 유형은 자신이 왜 강함을 고집하는지 깊게 생각을 해 봐야 한다. 그것이 그렇게 중요하다면 왜 다른 유형들은 그것을 중요하게 생각하지 않을까. 강함을 유지하기 위해서 감정 표현도 하지 않으며 언제나 단호함을 유지하는 자신을 돌아보자. 서로 어울려 살아가는 사회에서 강함을 고집하는 것은 상대와의 갈등을 일부러 만드는 것과 같다고 할 수 있다. 이제는 다음과 같은 질문을 통해서 스스로를 깊이 들여다 보는 것이 필요하다.

"내가 강한 모습을 유지할 때 타인은 나의 모습을 어떻게 받아들일까?"

"나에게 강함이 무너지게 되면 나는 어떻게 되는 것일까?"

"나의 주장보다 더 나은 타인의 의견을 받아들이면 어떨까?"

"내가 공격적인 태도를 취할 때 주변 사람들은 어떤 기분이 들까?"

## 갈등 사례 분석

앞선 사례에서 8번 유형 N은 에니어그램을 통해 자신의 모습을 객관적으로 바라볼 수 있게 되었다. 자신의 강함을 유지하기 위해서 상대의 의견을 받아들이지 않았고 공격적인 말투로 상대를 위협했다는 것을 깨닫게 된 것이다. 이제는 O의 기분이 어땠을지 알게 되어 O에게 부드러운 자세를 취할 수 있게 되었다. 또한 N은 협력의 중요성도 깨닫게 되었다. 일의 속도만 중요한 것이 아니라 함께 하는 사람들과 함께 가는 것이 중요하다는 것도 알게 되어 주변을 살필 수 있게 된 것이다. O 또한 N의 주도력과 목표 달성을 위한 결단력의 중요성을 알고 O를 중요한 협력 파트너로 삼게 되었다. N과 O는 서로 갈등관계의 대상이 아닌, 서로 부족한 점을 채울 수 있는 중요한 동료가 된 것이다.

## 9번 유형 갈등 사례
{안정을 추구하는 사람}

같은 소프트웨어 회사에서 P와 Q는 함께 일하고 있다. 둘은 새로운 프로젝트에 함께 참여하게 되었다. 9번 유형인 P는 조화와 협력을 유지하며 팀원들과의 관계를 중요하게 생각해 화를 내는 일이 거의 없고 매우 수용적이다. 그래서 주장을 하기 보다는 상대방의 의견에 최대한 맞추는 편이다. 반면 Q는 목표 달성을 위해 매우 집중하는 모습을 보였다. 일을 하면서 어려운 점이나 불편한 점이 발생하는 것은 어느 정도 받아들여야 하며, 일단 일을 마치는 것이 중요하다고 여겼다.

프로젝트가 진행되면서 두 사람 사이에 미묘한 신경전을 발생했다. P는 여전히 수용적인 자세를 취했지만 Q가 볼 때는 P의 모습이 답답했다. P도 자신이 원하는 의견을 말해야 서로 조율하면서 발전시킬 수 있는데 Q가 하는 대로 하겠다고만 답변을 하니 일을 열심히 하지 않겠다는 자세로밖에 보이지 않았다. 그래서 Q는 P에게 더 구체적인 답변을 요구했다. 하지만 P는 여전히 아무런 주장이 없었다. 오히려 자신을 몰아가는 것이 부담스러웠다. 나중에는 P가 Q의 연락을 피하는 상황까지 이르렀고, Q는 P의 그런 행동에 더 화가 났다.

## 스트레스를 받는 갈등 상황

▸ 차분하고 안정된 분위기를 방해받을 때

▸ 무언가를 하도록 강요받을 때

▸ 자신의 의견을 주장해야 할 때

▸ 다른 사람과 맞서야 할 때

▸ 주변 사람들과 불화가 생겼을 때

9번 유형은 평화로운 안정감을 유지하고자 노력한다. 마음이 불편할 수 있는 상황을 미리 차단하는 선택을 한다. 그래서 주변 사람들과 갈등을 만들지 않고 잘 지내는 유형이다. 이런 9번 유형에게 갑자기 여러 가지 일들이 몰리게 되면 혼란을 느끼게 되어 의사결정을 제대로 하지 못하게 된다. 주변 사람들은 별 일도 아닌데 왜 크게 혼란을 느끼는지 이해를 하지 못한다.

## 자신의 욕구 억제

갈등이 일어나는 것을 막는 것이 중요하기 때문에 갈등의 씨앗이 될 수 있는 여지를 잘 남기지 않는다. 그 방법으로 자신의 욕구를 억제하는 선택을 하게 된다. 자신이 원하는 것이 있다면 누군가에게 그것을 요구해야 하는데, 그것은 결국 불만을 표현하는 것과도 같다고 생각해 스스로 포기를 하는 것이다. 9번 유형이 자신의 의견을 표현하지 않고 조용히 있는 이유를 이제는 알 수 있을 것이다.

## 정체성 없음

자신의 욕구를 억제하기 때문에 매우 무기력한 모습처럼 보인다. 어떤 일에도 열정을 보이지 않기에 매사에 관심과 열정이 없는 것처럼 느껴진다. 원하는 것이 없는 것처럼 행동을 하기 때문에 누구와도 타협적인 태도를 취한다. 하지만 타인의 의견이나 요구에 대해서 어떤 비판도 없이 따르는 모습은 건강하지 않은 자세라고 할 수 있다. 그것은 '내려놓기'의 모습이 아닌, '정체성 없음'의 모습일 뿐이다.

## 답답함

9번 유형은 자신만의 의견을 갖지 않는다. 이런 9번 유형에게 너만의 의견을 표현하라고 하면 모호한 반응을 보일 것이다. 어떤 결정을 해야 하는 상황에서도 우유부단한 모습을 보이니 주변에서 많이 답답해한다. 더 구체적으로 자신의 이야기를 하라고 제안을 해보지만 이런 제안은 9번 유형의 속마음을 끌어내는 것이 아닌, 더 불편하게 만드는 강요가 될 수 있다.

## 사회적 고립

다양한 사람들과 상호작용을 하다 보면 자연스럽게 갈등이 생기게 된다. 특히 불합리한 면을 보게 된다면 자신의 의견을 주장해야 할 상황들이 벌어지는데 9번 유형은 이런 상황이 되는 것을 극도로 꺼린다. 그래서 처음부터 이런 상황이 벌어지지 않도록 다양한 사람들과 어울리는 활동 자체를 하지 않는다. 이것은 다른 사람들과의 교류를 피해 평안한 마음 상태를 유지하고자 하는 것이지만, 결국 자신을 스스로 고립시키게 된다.

## 자신에게 묻기

9번 유형은 갈등 상황이 펼쳐지는 것을 매우 꺼린다. 그래서 자신의 욕구도 억제하고, 스스로 자신을 고립시켜 불편한 상황이 펼쳐지는 것을 막는다. 9번 유형은 이런 자신의 모습에 어떤 문제가 있는지 알지 못한다. 자신만의 욕구를 드러내고 표현하는 것이 자연스러운 모습이라는 것을 인지할 수 있어야 한다. 자신이 왜 주장하지 못하고 화를 내지 않는지 자신에게 질문을 해 봐야 한다.

"나는 왜 갈등 상황이 펼쳐지는 것을 피하는가?"

"갈등은 어떻게 해결하는 것이 가장 이상적일까?"

"내가 생각하는 갈등은 무엇인가?"

"나의 의견을 물을 때 난 왜 답변을 하지 못하는가?"

"나의 우유부단함을 다른 사람들은 어떻게 받아들일까?"

## 갈등 사례 분석

앞선 사례에서 9번 유형인 P는 에니어그램을 통해 자신이 갈등을 피하는 사람이었고 그것으로 인해 주장을 하지 않고 욕구까지도 억제하고 있다는 것을 알게 되었다. P는 그동안 자신의 마음이 평안하다고 생각했고 그것에 만족을 했는데, 다른 사람들은 그런 불편한 상황도 견디며 극복하고 있다는 것을 알게 되었다. Q가 왜 자신에 대해서 불만을 갖게 되었는지도 알게 되었고 자신의 선택이 자신만을 편하게 했을 뿐 상대를 매우 답답하게 만들었다는 것도 알게 되었다.

일을 할 때 자신의 의견을 말해야 할 때가 많았지만 P는 그동안 그것을 항상 피하는 방식만을 선택했었다. 주변 사람들이 그런 자신의 모습에 불만을 가졌다는 것은 알았지만 그 이유를 정확히 인식하지는 못했는데 이제는 자신만의 주장을 하는 것이 문제가 되지 않을 뿐만 아니라, 사회생활을 할 때는 이것이 중요하다는 것을 알게 되었다. Q의 일처리 방식이 매우 효과적이라는 생각을 하게 되었고, 자신도 그런 모습을 배워야 겠다고 결심하게 되었다. 9번 유형이 이런 결심을 하고 노력을 한다는 것은 9번 유형의 가면을 벗어던지는 것과도 같으며 에니어그램이 말하는 매우 바람직한 발전 방향의 모습이라는 것을 알게 되었다.

# 04_
## 리더십

# 리더십 스타일

‧‧‧‧‧‧‧‧‧‧‧‧‧‧‧‧‧‧‧‧‧‧‧‧‧‧‧‧‧‧‧‧‧‧‧‧‧‧‧

## 위대한 리더십

지금까지는 에니어그램이 말하는 '성격 유형'을 살펴보았다면, 이번에는 에니어그램을 통한 '리더십'을 알아보고자 한다. 각 성격 유형의 강점을 적절한 상황에서 잘 사용하고, 약점으로 나타난 부분은 보완을 할 수 있다면 매우 훌륭한 리더가 될 수 있다고 확신한다. "위대한 기업에는 위대한 리더십이 있다."[1]는 말이 있다. 개인 뿐만 아니라 기업도 리더십의 개발은 반드시 필요한 도전과제인데, 그렇다면 위대한 리더란 과연 어떤 리더란 말인가? 그들은 자신에 대한 명확한 이해를 통해 깊은 자기인식을 하고 있는 사람들이라는 것을 많은 사람들이 결론으로 내놓는다. 그들은 자기인식 뿐만 아니라 타인을 이해하는 기술 또한 뛰어나다. 그래서 누구와도 효과적인 의사소통을 할 수 있다. 자신과 타인 모두에 대해서 동기부여를 하는 능력이 뛰어나며, 역경이 닥쳤을 때 그것을 이겨내는 능력

---

[1] 짐 콜린스(Jim Collins)의 저서 『Good to Great(좋은 기업을 넘어 위대한 기업으로)』

또한 남다르다. 또한 그들은 높은 회복탄력성을 가지고 있다. 그들은 지속적인 성과를 만들어 개인과 기업에 좋은 결과를 가져온다. 여기에서 오해하지 않아야 할 점이 있는데, 리더십 스타일은 정해진 것이 아니라 각자의 스타일이 제각각이라는 점이다. 에니어그램은 이 점을 매우 잘 설명하고 있다.

## 커스터마이징

리더가 되는 준비를 하기 위해서 모두에게 해당되는 공통적인 방법을 제시하는 것은 이제 지양되어야 한다. 왜냐하면 사람은 동일하게 복제가 될 수 없기 때문이다. 자신만의 리더십을 알아야 하고 그에 맞는 방법을 선택할 수 있어야 한다. 리더십 개발을 돕는 코치, 팀을 이끄는 리더 등 리더십을 발휘하고 싶은 사람이라면 에니어그램을 통해 실질적인 도움을 받자.

각 팀원의 강점, 약점, 동기, 스트레스 요인을 알지 못하고 리더십을 키울 수 있다고 말하는 것은 현실적이지 않다. 커스터마이징[2]이라는 표현을 들어 본 적이 있을 것이다. 에니어그램은 리더십 개발을 커스터마이징이 가능하도록 도우며, 각 개인의 고유한 요구에 맞게 리더십 접근 방식을 조정할 수 있도록 만들어 줄 것이다.

---

[2] 커스트마이즈(Customize)란 '원래 무엇을 주문 받아서 만들다.' 라는 의미로, 이용자가 사용 방법과 기호에 맞춰 하드웨어나 소프트웨어를 설정하거나 기능을 변경하는 것을 말한다.

# 9가지 유형별 리더십

❶

## 1번 유형의 리더십
{완벽을 추구하는 사람}

개혁가인 1번 유형은 모든 면에서 본보기가 된다. 항상 모범적인 자세와 행동으로 귀감이 되기 때문이다. 일을 할 때도 완벽하게 처리하기 때문에 체계적이며 일관적이라는 평가를 받는다. 하지만 모든 사람들이 그런 1번 유형의 모습에 항상 부응할 수는 없다. 그래서 1번 유형의 리더가 비판을 받는 경우가 있는데, 완벽성 추구가 동료들을 힘들게 만들기 때문이다. 모든 사람이 완벽할 수 없고 정직할 수 없는데 그런 점들을 너무 강조하다 보니 갈등이 점점 커지게 되는 것이다. 사람들은 죄책감을 갖도록 만드는 리더를 따르고 싶어 하지 않는다. 그래서 1번 유형의 리더에게는 점점 변명을 하게 될 일이 많아진다. 1번 유형 리더로부터 비판받는 것보다는 차라리 그로부터 벗어나는 것이 정신 건강에 좋다고 생각하게 된다.

## 1번 유형의 리더가 자주 사용하는 말

{완벽을 추구하는 사람}

"업무를 할 때는 원칙을 지키는 것이 중요합니다."

"왜 지시한 대로 하지 않죠?"

"문제가 발생한다면 어떻게 개선할 수 있는지 고민해야 합니다."

"잘못된 방법으로 하니 문제가 발생하는 것입니다."

## 1번 유형의 리더가 듣고 싶은 말

{완벽을 추구하는 사람}

"항상 귀감이 되는 모습 때문에 저희가 잘할 수 있었습니다."

"모범적인 모습을 보고 많이 배우고 있어요."

"원칙대로 하지 않으니 정말 문제가 생기네요. 왜 원칙을 지키라고 하셨는지 이해했어요."

## 1번 유형의 리더가 개선할 점

{완벽을 추구하는 사람}

## 지나친 완벽주의 내려놓기

1번 유형은 다른 유형과 비교해 지나친 완벽함을 추구한다. 그런 높은 기준을 부응할 수 있는 사람은 그리 많지 않다. 높은 기준은 매사를 못마땅하게 만든다. 그로 인해서 1번 유형은 꾸준히 스트레스를 받게 된다. 세상을 부정적으로 바라보게 되는 완벽주의 리더를 좋아할 사람은 그리 많지 않다. 1번 유형의 리더쉽이 빛을 발하는 조건은 단 한 가지, 지나친 완벽주의를 내려놓는 것이다.

## 불완전함 받아들이기

1번 유형의 리더는 불완전함을 허용하지 못한다. 그것은 타인의 모습을 항상 지켜보게 만들고 불완전한 상태가 되었을 때 지적을 하게 만든다. 이것은 타인뿐만 아니라 자신에게도 해당된다. 그래서 일찍 일어나기, 정리정돈 잘하기, 약속 시간 잘 지키기, 실수를 하지 않기 등 민감할 정도로 집착하게 된다. 1번 유형의 리더는 이런 삶이 편할까? 반듯한 모습이지만 과할 경우 자신을 경직되게 만든다.

## 유연성 키우기

1번 유형의 리더는 자신만이 고집하는 원칙이 있다. 실제로 그 원칙을 지켰을 때 실수가 적고 일이 잘 되는 것을 경험했다. 하지만 모든 사람들이 그런 엄격한 기준을 충족할 수 없다는 것을 받아들여야 한다. 또한 다양한 접근 방식이 성공을 더 빨리 가져올 수 있다는 점도 받아들여야 한다. 그렇지 않으면 고지식하게 자신만의 방식을 꽉 붙잡고 있는 이기적인 사람처럼 보일 뿐이다. 잔소리는 점점 심해지고 집요함의 수위 또한 점점 높아진다. 1번 유형의 리더는 자신이 믿는 '올바른 방식'이 '자신만의 방식'일 뿐이라는 것을 인정해야 한다. 그렇지 않으면 1번 유형의 눈에는 다른 사람들의 모습이 모두 '잘못된 방식'을 따르는 것처럼 보인다.


## 책임과 권한 위임하기

1번 유형의 리더는 모든 일이 자신의 손을 거쳐 가야 직성이 풀린다. 왜냐하면 자신을 제외한 나머지 사람들은 완벽하게 일을 처리하지 못하기 때문이다. 하지만 이것은 1번 유형 자신을 힘들게 만드는 것이다. 에너지 손실이 커서 좋은 방법이 아닐 뿐만 아니라, 다른 사람들을 믿지 못하는 바람직하지 못한 리더의 모습이다. 1번 유형의 리더라고 항상 '올바른 결정'을 하는 것은 아니다. 자신 외에 다른 사람들도 충분히 잘할 수 있다는 것을 인정하고 신뢰하자. 책임과 권한을 위임하는 것도 리더에게는 필수적인 능력이다.

## 비판 줄이기

1번 유형 리더는 비판을 잘 하는데 자신은 비판이 아닌 좋은 조언을 하는 것으로 생각한다. 하지만 받아들이는 사람은 비판을 넘어 비난으로 받아들일 수 있다. 그만큼 1번 유형 리더는 부드러운 소통을 하지 못하는데 말투, 말의 내용 모두 적절하지 않을 때가 많다. 무조건 상대의 말을 적극적으로 경청하고 열린 대화를 하는 것이 필요하다.


## 올바른 것만 고집하지 않기

모든 일에서 '올바른 것'이 항상 중요한 판단기준이 되는 것은 아니다. 일은 성과가 중요하고 그 성과를 만들기 위해서는 올바른 것보다 효율적인 것이 더 중요하게 작용할 수 있다. 상황을 고려하지 않고 오직 올바른 것만 추구하게 되면 매우 답답한 리더가 될 수 있다. 오히려 성과 내는 것을 방해하는 리더처럼 보일 수 있으니 그 의도까지도 의심하게 된다. 1번 유형 리더에게는 좀 더 사업가적인 모습이 필요하다.

## 2번 유형의 리더십
{도움을 주는 사람}

　도움을 주는 2번 유형 리더는 팀원들 모두가 기분 좋게 일할 수 있도록 분위기를 만든다. 팀 내에서 다른 사람들이 무엇을 원하는지 금방 알아차리고 돕기 때문에 2번 유형의 리더는 사람의 마음을 움직인다.

　2번 유형이 힘들어하는 상황이 있는데, 그것은 상황을 과감히 개선해야 할 때, 분명한 주장을 해야 할 때, 잘못된 것은 지적을 해야 할 때다. 이런 상황이 벌어지면 2번 유형 리더는 자신이 무엇을 어떻게 해야 할지 모른다. 결국 결단을 내리지 못해 분명하게 전달하지 못하게 된다. 심지어 거절을 잘 하지 못해서 팀 전체가 같이 손해를 보는 경우도 발생한다.

　리더는 자기관리가 매우 중요하다. 구성원들은 리더의 귀감이 되는 모습을 보고 따라가게 되는데, 2번 유형의 리더는 자기 관리를 잘 하지 못하는 것처럼 보인다. 항상 타인 중심적이기 때문에 자신에게 닥친 문제를 잘 해결하지 못하고 방치하게 된다. '헌신하는 리더'는 맞지만 '자기 관리를 제대로 하지 못하는 리더'라는 평가에서 벗어나지 못한다.

## 2번 유형의 리더가 자주 사용하는 말
{도움을 주는 사람}

"우리는 서로 도울 때 좋은 결과를 만들 수 있습니다."

"무엇을 도와드리면 될까요?"

"조화를 깨는 말은 좋지 않은 것 같아요."

"우리는 팀으로서 서로 돕고 함께 성장해야 합니다."

"괜찮아요. 제가 돕지 못한 실수가 있었던 것 같아요."


## 2번 유형의 리더가 듣고 싶은 말
{도움을 주는 사람}

"도와주신 덕분에 함께 힘을 내서 해낼 수 있었네요."

"항상 따뜻하게 맞이해주셔서 감사해요."

"덕분에 우리 팀 분위기가 너무 좋은 것 같아요."

"힘들 때마다 도와주셔서 너무 감사해요."

"가족 같은 분위기를 만들어주셔서 감사해요."

## 2번 유형의 리더가 개선할 점
{도움을 주는 사람}

### 공과 사 구별하기

2번 유형 리더는 타인의 필요를 채워주고 싶은 욕구를 강하게 가지고 있다. 타인을 돕는 봉사활동을 끊임없이 하게 되는데 이런 활동이 리더의 역할을 하는데 문제가 될 수 있다. 때로는 상대를 돕는 것을 거절해야 할 상황이 있다. 특히 경쟁을 할 상황이라면 더욱 그렇다. 그런데 2번 유형 리더는 그런 상황에서 다른 사람들을 돕지 않는 것을 이기적인 것으로 생각한다. 그래서 경쟁을 할 때 좋은 결과를 만들어내지 못하는 경우가 많다. 리더에게는 단호함과 결단력이 매우 중요하며 자신의 팀을 위해서 때로는 이기적일 필요가 있는데 2번 유형 리더는 그렇게 하지 못한다.

### 타인을 위한 행동으로 자기평가 하지 않기

2번 유형의 리더가 생각하는 가치는 자신이 다른 사람들을 위해서 얼마나 많은 일을 하고 희생했는지 그 내용으로 판단하게 된다. 즉, 타인의 평가에 과도하게 의존하는 것인데 자존감이 약하기 때문에 벌어지는 일이다. 있는 그대로의 자신을 인정하는 것이 필요하다.

## 일을 다 떠안지 않기

2번 유형 리더도 1번 유형 리더처럼 자신이 직접 개입해서 일을 처리하려고 할 때가 있는데 그 상황이 다르다. 1번 유형은 다른 사람들의 일처리 방식을 믿지 못해 자신이 직접 나서서 완벽하게 마무리를 해야 한다고 생각하지만, 2번 유형은 그런 의도가 전혀 아니다. 단지 자신이 직접 다른 사람들을 도와야 한다는 생각에 개입을 적극적으로 하는 것이다.

팀 안에서 각자 역할을 분담했더라도 2번 유형 리더는 자신의 일을 제쳐두고 다른 사람들을 돕고자 한다. 어느 순간 많은 사람들의 일을 자신이 다 떠안고 있는 모습을 발견하게 된다. 다른 사람들에게 일을 위임하지 못하는 모습이다. 이제는 팀 구성원 모두가 각자의 일을 잘 담당할 수 있다고 믿고 돕는 행위를 중단해 보자.


## 사람이 아닌 일중심으로 바라보기

일을 할 때는 일이 잘 되도록 방향을 빨리 설정해야 할 필요가 있다. 그때 중요한 기준이 되는 것이 '사람'이 아닌 '일'에 초점을 두는 것이다. 문제해결을 할 때도 그 문제가 발생한 지점을 살펴봐야 하는데, 관계적인 관점으로만 바라보니 문제의 본질을 제대로 바라보지 못하게 된다. 물론 팀내 좋은 관계를 만들고 유지하는 것도 중요하지만 문제해결을 할 때는 오로지 일중심의 관점으로 바라보는 것이 중요하다.

## 거절의 기술 사용하기

'거절' 이란 단어가 부정적이라고 생각하는가? 절대로 그렇지 않다. 시의적절한 거절은 자신의 삶을 지키는 중요한 기술이다. 사기를 당하는 사람들의 공통점 중 하나는 거절을 잘 하지 못한다는 점이다. 리더는 거절의 기술을 다룰 줄 알아야 하며, 구성원들 또한 필요한 거절을 할 수 있도록 안내할 수 있어야 한다. 거절을 하지 못해 많은 일을 떠안게 되거나 잘못된 수락을 하게 되면 어떻게 될까? 과중한 일 때문에 스트레스는 점점 커지게 되며, 사기를 당해 큰 자본을 날리게 될 수도 있다.

## 3번 유형의 리더십
{성공지향적인 사람}

성공지향적인 3번 유형 리더는 목표달성을 위해 전략을 세워 성공을 이끌어 낼 가능성이 크다. 함께 일하는 사람들도 3번 유형 리더를 통해서 많은 전략들을 배울 수 있다. 효율적인 방법을 잘 찾아 목표 달성의 속도도 매우 빠르다. 문제 해결 능력도 뛰어나 기업가로서의 자질이 있고 이런 경험이 많으니 자신감 또한 넘치는 모습을 보여준다.

목표를 향해 나아가다 보면 경쟁을 해야 할 상황이 많이 벌어진다. 그만큼 스트레스도 함께 증가하며, 일의 성공을 위해서 함께 일하는 사람들의 희생 또한 벌어질 수 있다. 그래서 '토사구팽'이 일어났다고 불만을 제기하는 사람들도 있다.

## 3번 유형의 리더가 자주 사용하는 말
{성공지향적인 사람}

"우리는 목표를 명확하게 설정하고 달려가야 합니다."

"반드시 달성해야 합니다. 나중에 뭐 때문에 못했다고 해서는 안 됩니다."

"이번 목표를 달성하는 데 필요한 것은 제가 제공하겠습니다."

"수단과 방법을 가리지 말고 일만 이루어 놓으세요."

"하고 싶은 방법이 있다면 말씀하세요. 최대한 수락하겠습니다."

## 3번 유형의 리더가 듣고 싶은 말
{성공지향적인 사람}

"함께 일하게 되니 저에게도 중요한 역할을 주셨네요."

"잘 이끌어주셔서 큰 목표를 달성할 수 있었습니다."

> "정말 많은 것들을 배웠어요. 다들 팀장님을 언급하는 이유가 있었어요."

> "성공하는 사람은 다 이유가 있네요. 팀장님은 제 인생의 멘토이십니다."

## 3번 유형의 리더가 개선할 점
{성공지향적인 사람}

### 성공에 대한 집착과 타인의 인정 내려놓기

3번 유형 리더는 자신이 성공에 집착하고 있고 타인의 인정을 받고자 노력한다는 것을 알아차릴 필요가 있다. 팀에서도 결과에 따라 능력자와 그렇지 못한자로 나누는 선긋기의 모습을 보여주기도 한다. 성공을 하는 것이 잘못되었다는 것은 아니다. 하지만 성공을 하는 것 외에도 의미있는 것에 대해서 존중하는 모습이 필요하다. 그렇지 않으면 일과 삶의 균형이 무너지게 될 수 있다. 일중독자가 되어 건강도 잃고 사람도 잃어서는 안 된다.

### 실패 경험을 중요하게 받아들이기

3번 유형의 리더는 성공에 대한 집착 때문에 실패에 대한 모든 것을 회피하고자 한다. 자신이 실패하는 것은 받아들일 수 없으며,

팀원들이 실패하는 것도 그냥 지나칠 수 없다. 자신의 실패는 포장해야 하고, 팀원의 실패는 제외의 대상으로 고려하게 된다. 실패를 받아들이지 못하는 불건강한 모습이다. 실패는 부끄러운 것이 아니다. 대부분의 사람들은 성공보다 실패를 더 많이 한다. 즉, 실패를 하는 것은 매우 자연스러운 삶의 과정이라고 할 수 있다. 어쩌다 실패 한 번 한 것 가지고 인생이 무너진 것처럼 생각할 필요는 없다. 또한 그 실패를 감추기 위해서 포장을 하거나 조작을 할 필요도 없다. 실패는 삶의 과정이라는 것을 받아들여야 한다. 그 실패를 통해서 더 성장을 할 수 있다는 것 또한 인정하자. 타인의 실패에 대해서는 위로를 해주는 것이 필요하다. 실패나 좌절의 순간에 자기비판과 혐오, 그리고 타인에 대한 차별을 중단하자.

## 진실된 관계 구축하기

3번 리더는 목표 달성을 위해서 지나치게 업무 효율에 집중하는 경향이 있다. 상대적으로 인간적인 측면은 소홀히 여기는 모습을 보인다. 3번 유형은 일의 효율만큼 중요한 것이 동료들과의 진실한 관계 구축이라는 것을 알아야 한다. 그러면 서로간의 신뢰가 증가해 협업은 자연스럽게 증가하게 되고 성과 또한 향상될 수 있다. 이런 방법은 3번 유형이 예상치 못한 효율성 증대를 가져다 줄 것이다.

## 경쟁보다 협력하기

3번 유형 리더는 경쟁에서 이겨야 하며, 그러기 위해서는 원칙도 쉽게 수정할 수 있다. 상대를 이기는 경쟁만 시도할 것이 아니라 협력을 통해서도 성공할 수 있다는 것을 알아야 한다. 훌륭한 리더는 구성원들 모두가 성장할 수 있도록 도와야 하며, 승-패(win-lose)가 아닌 승-승(win-win)을 이끌어낼 수 있어야 한다. 이것을 만족시키는 방법은 '경쟁' 보다는 '협력'을 하는 것이다. 협력을 통한 승-승(win-win) 전략으로 멋진 리더십을 보여주자.

## 4번 유형의 리더십
{특별함을 원하는 사람}

4번 유형은 창의력이 뛰어나며 특별함을 추구하고자 한다. 이런 특징은 독창성을 원하는 기업에서 우수한 결과를 가져온다.

이들은 이성적인 모습보다는 감정적일 때가 많으며 실패요인으로 작용할 때가 있다. 감정에 쉽게 휩쓸려 순간순간 다른 모습을 보일 때가 많은데, 열정적인 모습을 보이다가도 갑자기 싫증을 내기도 한다. 그래서 주변 사람들이 불편함을 느끼게 된다. 업무를 객관적으로 바라봐야 할 상황에서 자신의 감정을 대입시키기도 한다. 그러다 보면 과거의 일을 떠올리기도 하고 무의미한 것을 회상하며 부정적인 감정에 빠지기도 한다. 이성적인 유형의 사람들은 이런 4번 유형 리더에 대해서 점점 불편함과 불만을 갖게 된다. 리더는 힘든 상황에서도 자기감정을 잘 추슬러 평정심을 유지해야 할 필요가 있는데 그것을 어려워한다.

## 4번 유형의 리더가 자주 사용하는 말
{특별함을 원하는 사람}

"창의적인 아이디어를 공유해 주세요."

"다양한 감정과 아이디어를 존중합니다. 창의성은 그럴 때 발현될 수 있어요."

"획일적인 것을 따를 필요는 없어요. 자신의 감정을 표현해 주세요."

"이것은 이미 있는 것들과 다를 게 없어요."

## 4번 유형의 리더가 듣고 싶은 말
{특별함을 원하는 사람}

"팀장님은 정말 창의적인 것 같아요. 우리는 왜 그런 생각을 못할까요?"

"이렇게 다양성을 존중받은 적은 처음이에요. 저희 생각이 더 자유로워진 것 같아요."

"팀장님의 독창성은 정말 최고에요. 저희도 많이 배우고 있어요."

## 4번 유형의 리더가 개선할 점
{특별함을 원하는 사람}

### 감정에 깊게 빠지지 않기

　4번 유형은 자신의 내면을 들여다보며 많은 시간을 보낸다. 그래서 감정에 예민한 모습을 보여준다. 하지만 리더는 자신의 감정으로부터 벗어나 구성원들을 살필 수 있어야 한다. 예민한 리더를 좋아할 사람은 없다. 4번 유형의 리더는 자신이 너무 예민하다는 것을 받아들이고 자신의 감정에 깊게 빠지는 것을 주의해야 한다. 감정을 잘 조절한 후에 팀원들의 의견을 적극적으로 듣고 공감해야 한다. 이제는 '나라면 어떻게 했을까?'와 같은 생각을 줄이고, '저 사람은 어떤 느낌일까?'와 같은 생각을 늘려야 한다. 자신보다 다른 사람들에게 관심을 기울여보자. '나'를 주제로 이야기하는 것도 10분의 1로 줄이는 것이 좋다.

### 긍정적인 것에 초점 맞추기

　4번 유형 리더는 자신의 감정에 깊게 빠진다고 위에서 설명을 했다. 그 감정의 대부분은 긍정적인 것보다는 부정적인 것이며, 4번 유형의 리더가 쉽게 우울감을 느끼는 것도 같은 이유다. 리더는 부정적인 생각으로 인해서 우울감에 빠지면 안 된다. 의도적으로 긍정적인 것에 초점을 맞추는 것이 필요하다. 자신의 단점과 부정적인 것들에 연연하기 보다는 자신의 강점과 성취에 집중함으로써 긍정적인 사고방식을 기르는 것이 필요하다. 관계 속에서 발생하는 감정적인 갈등을 마음 속에 담아두지 말자. 지난 후회를 되새김질하는 것도 멈추자. 그렇게 해봤자 자신을 안 좋은 감정상태로 다시 빠지게 만들 뿐이다.

## 육하원칙과 수치 이용하기

4번 유형 리더는 감정적인 면 때문에 의견을 전달할 때도 구체적이지 않고 상징적으로 표현을 하는 경우가 많다. 그래서 상대는 어떤 의미인지 이해를 하는 것이 어렵게 된다. 4번 유형 리더는 육하원칙을 사용해 의미를 전달하거나, 수치를 사용하는 것도 큰 도움이 된다. 구체적인 설명을 하는 이런 방법을 그동안 사용해 보지 않았을 가능성이 크다.

## 획일적인 것 감당하기

모든 일이 예술처럼 독창적일 필요는 없다. 예로 아파트 건축을 살펴보자. 모든 건물을 다른 모양으로 지을 수 없다. 건축 비용 때문에 다양한 모양으로 짓는 것이 비효율적이기 때문이다. 이때 4번 유형의 리더는 독창성을 발휘해 모든 건물의 모양을 다르게 하자고 주장하고 싶을 수 있다. 하지만 때로는 획일적인 것도 필요하고, 그것이 인간의 삶에 더 큰 효율을 가져오기도 한다. 4번 유형의 리더는 창의성과 독창성을 주장하기 전에 상황에 맞는 판단을 잘 해야 한다.

# ❺
## 5번 유형의 리더십
### {지식을 추구하는 사람}

5번 유형은 지식을 추구하는 사람으로 통찰력이 뛰어나며 분석적이다. 문제를 객관적으로 바라보고 체계적으로 일을 처리한다. 그래서 위기가 닥쳤을 때 당황하지 않고 차분하게 대처하는 모습을 보여준다. 어떤 일에서나 전문가적인 자질을 발휘하는 모습을 보인다.

이들은 대인관계를 유지하는 것에 대해서는 그리 중요하게 생각하지 않는다. 주변에 사람들이 많으면 감정적으로 치우치는 사건들이 많이 발생하는데 5번 유형은 이러한 상황을 좋아하지 않는다. 소수의 사람들과 잘 지내며 이성적이면서 논리적인 대화를 하는 사람들의 구성일 가능성이 크다.

자신의 관심분야가 아닐 때는 냉담한 모습을 보인다. 주변의 일에 깊이 관여하지 않는다. 이런 면 때문에 너무 감정이 없어 보일

팀

수 있다. 자신이 알고 있는 정보를 주변 사람들에게 잘 공유하지도 않는다. 이 모습은 타인에게 자신의 속마음을 털어놓지 않는 것과도 같다.

또한 자신의 기준에 어긋나면 곧잘 비판하기도 한다. 여기에서 말하는 5번 유형의 '기준'은 정확한 정보다. 정확하지 않은 내용을 말하는 것에 대해서 비판을 하는 것이다.

## 5번 유형의 리더가 자주 사용하는 말
{지식을 추구하는 사람}

---

"문제를 해결하기 위해 데이터와 사실을 기반으로 자료를 수집하고 분석해야 합니다."

---

"우리는 정확한 이론과 근거를 가지고 말을 해야지 느낌으로 판단해서는 안 됩니다."

---

"감정적으로 생각해서는 안 됩니다."

---

"그 말의 출처가 어떻게 되나요?"

---

## 5번 유형의 리더가 듣고 싶은 말

{지식을 추구하는 사람}

"팀장님의 분석적 사고가 왜 중요한지 이제야 알겠어요."

"정말 데이터와 사실을 통해 분석했더니 다른 결과가 나오네요."

"팀장님은 정말 지적인 매력이 있으신 것 같아요."

"이제는 일을 할 때 감정적 판단을 줄이는 것이 잘 됩니다. 팀장님 덕분이에요."

## 5번 유형의 리더가 개선할 점

{지식을 추구하는 사람}

### 실행하기

5번 유형 리더는 지식과 정보에 지나치게 집착한다. 원하는 정보가 나올 때까지 계속 자료를 찾는다. 철저한 분석을 위한 자료 수집이지만 시간이 많이 걸려 실행이 늦어진다. 사업에서는 실행이 늦어져 일을 그르치게 되는 치명적인 약점이 되기도 한다. 타이밍이 중요하니 행동하는 것을 앞당기는 것이 반드시 필요하다. 리더는 혼자 연구하는 사람이 아니다. 팀의 목표와 목적이 있으니 그에 맞게 행동력을 보여줄 필요가 있다.

## 감정 억제하지 않기

5번 유형 리더는 자신의 감정은 물론 타인의 감정에 대해서도 무관심한 자세를 취하는데 리더로서 부족한 모습이 아닐 수 없다. 사람은 감정의 동물이라는 점을 받아들여야 한다. 감정을 억제하고 문제의 본질을 판단해야 정확한 해결책이 나온다지만 사람에게 벌어진 문제의 상당수는 감정의 문제일 가능성이 크다. 5번 유형 리더는 지나친 감정 억제를 조절할 필요가 있다. 자신의 감정을 바라보는 것이 어색하지 않은 단계에 이르면 다른 사람들의 감정까지도 잘 살필 수 있게 될 것이다.

## 거리두기 중단하기

5번 유형은 사람들과 거리두기를 한다. 너무 가까워지는 것이 불편하기 때문이다. 그렇게 해서는 팀원들과 좋은 관계를 유지할 수 없다. 인간적인 친분이 생기지 않으면 좋은 리더라고 할 수 없다. 거리두기가 조직 내 감성적인 연대감과 공감대 형성에 어려움을 초래한다는 것을 기억하자. 팀 활동이나 네트워킹에 참여해 동료들과의 관계성을 적극적으로 만들어야 한다.

## 지식과 정보를 주변에 공유하기

5번 유형 리더는 자신의 지식과 정보를 혼자만 간직하고 있을 가능성이 크다. 그것을 공유하게 된다면 집단지성은 더 커질 수 있다. 단절되어 있던 팀 내 능력들이 하나로 연결되어 굉장한 능력으로 발현될 것이다. 5번 유형 리더가 이끄는 지식 공유는 세미나 활동이 되어 많은 사람들에게 유익한 정보를 제공하게 될 것이다. 팀 내 상호의존도도 높아져 서로 협조하는 분위기가 형성될 것이며, 당연히 생산성도 높아지게 될 것이다.

## 6번 유형의 리더십
{안전을 추구하는 사람}

6번 유형 리더는 안전을 추구하는 사람으로 팀원들에게 충실하며 그들을 적극적으로 보호하는 모습을 보인다. 어떤 문제가 발생할 것 같으면 미리 대비하기 때문에 회사와 팀원들 모두에게 충실한 리더로 평가받는다. 위험한 일은 피하며 모두 안전한 상태가 되도록 안내를 하는 안정형 리더다.

단점으로는 늘 경계심이 높고 걱정이 많다는 것이다. 과감한 결정을 해야 할 상황을 꺼리고 피한다. 이것 때문에 항상 모호한 상태를 가져오게 된다. 우물쭈물하다가 행동하지 못하는 모습이 마치 5번 유형과 비슷해 보이지만 그 근본 동기는 다르다. 5번 유형 리더는 분석을 해야 하기 때문에 곧바로 행동하지 못하는 것이고, 6번 유형 리더는 불안한 마음 때문에 계속 가만히 주저하고 있는 것이다.

6번 유형은 결정을 하는 것 자체를 꺼리기도 하지만, 만약 결정을 하더라도 잘 안될 거라는 불안감이 엄습하기 시작한다. 그래서 자기방어에 급급한 모습을 보인다. 남을 쉽게 믿지 못하는 것도 같은 이유다. 걱정과 두려움에 가득 차 있는 리더를 팀원들은 신뢰하기 힘들다. 6번 유형의 리더에게는 무엇보다 용기가 필요하다.

## 6번 유형의 리더가 자주 사용하는 말
{안전을 추구하는 사람}

"저는 우리 조직의 신뢰와 안전을 중요하게 생각합니다."

"위험을 최소화하는 것으로 신중한 결정을 내리겠습니다."

"저희 이것을 하는 게 좋을까요? 위험하지는 않을까요?"

"글쎄요. 좀 더 생각을 해 볼까요?"

## 6번 유형의 리더가 듣고 싶은 말

{안전을 추구하는 사람}

"저번에 그것을 하지 않은 게 다행이네요. 큰 피해가 있을 뻔 했어요."

"저희 팀처럼 안정적으로 돌아가는 팀은 없네요."

"이런 일이 있는데 저희는 기존과 같이 그대로 가는 게 낫겠죠?"

"저희 팀을 안정적으로 이끌어주셔서 감사해요."

## 6번 유형의 리더가 개선할 점

{안전을 추구하는 사람}

### 자기 확신 높이기

6번 유형 리더가 가장 원하는 것은 '안전'이다. 안전한 상황을 싫어하는 사람은 없을 것이다. 하지만 6번 유형은 그 정도가 지나치기 때문에 불안한 모습을 보일 때가 많으며, 그 모습이 주변까지도 불안하게 만든다. 리더라면 불안한 상황을 해소시켜 줄 수 있어야 하는데 오히려 조장하는 입장이 되는 것이다. 6번 유형 리더는 자기 확신을 높이는 것이 필요하다. 자신감을 갖고 담대한 결단과 행동을 보여주는 것이 그 어떤 유형보다도 더 필요하다. 우유부단한 리더를 좋아할 팀원은 없다.

## 구성원에게 권한 부여하기

6번 유형 리더가 두려운 감정에 잘 빠지는 이유는 끊임없이 주변 상황에 대해서 의심을 하기 때문이다. 의심이 커진 상태에서 6번 유형 리더는 상황에 대해서 분석을 할 수 없고, 어떤 결단도 내릴 수 없다. 6번 유형 리더는 팀원들이 서로 믿고 협업을 할 수 있는 기회를 제공해야 하기 때문에 각 구성원들에게 권한을 부여하여 책임질 수 있도록 하는 것이 좋다. 6번 유형 리더 입장에서도 자신이 모든 것을 결정하고 책임을 져야 하는 부담을 줄일 수 있게 되며, 각 구성원들은 스스로 책임감을 키울 수 있게 된다.

## 변화 시도하기

6번 유형에게 가장 피하고 싶은 것을 물어보면 분명 '변화하는 것'이라고 답변을 할 것이다. 하지만 변화는 새로운 기회를 가져올 수 있다는 점을 긍정적으로 받아들여야 한다. 위험이 따를 수는 있지만 변화 없이 발전을 기대할 수는 없다. 위험 때문에 변화를 피한다면 그 어떤 것도 할 수 없다. 리더는 변화를 과감히 할 수 있어야 하며, 6번 유형은 작은 변화부터 시도를 해 점점 변화의 크기를 크게 만들어가야 한다. 감당할 수 있는 변화의 크기는 점점 커질 것이다.

# ⑦ 7번 유형의 리더십

{재미를 추구하는 사람}

7번 유형은 재미를 추구하는 특징이 있어 아이디어가 풍부해 창의적인 해결책을 제시한다. 한 번에 여러 가지 일을 함께 처리할 수 있는 힘을 가지고 있는데 그만큼 머리 회전도 빠르고 행동도 빠르다. 그래서 7번 유형 리더가 있는 팀은 항상 열정적으로 무언가를 하고 있는 것처럼 보인다.

반면 이러한 강점이 때로는 실패요인으로 작용할 수도 있는데, 충동적이며 집중력이 부족한 모습으로 나타날 수 있다. 여러 업무를 동시에 처리한다는 것은 어느 하나를 마무리 짓지 못한 채 이것저것 진행을 한다는 것을 의미한다. 본래의 목표와 목적에서 벗어나 다른 방향으로 가버리는 모습도 보인다. 부정적인 피드백이 오면 그것을 잘 받아들이지 못한다. 그렇다고 도발을 하거나 따지는 것이 아닌 회피하는 모습을 보인다.

평범한 것, 일상적인 것, 반복적인 일을 지나치게 싫어한다. 그래서 반복적이고 획일적인 조직에서는 순응하지 못하는 모습으로 보여질 수도 있다. 7번 유형 리더가 같은 방법으로 계속 이끈다면 팀원들은 처음에는 재미를 느낄 수 있으나 점점 그 방향을 잃게 되어 분열되는 팀이 될 수 있다. 그때는 팀원들도 7번 유형 리더를 계속 믿고 따라야 하는지 의문을 가지게 될 것이다.


## 7번 유형의 리더가 자주 사용하는 말
{재미를 추구하는 사람}

"새로운 기회가 생길 것 같아요. 재미있는 일이 기다리고 있어요."

"긍정적인 에너지와 열정이 넘치는 즐거운 분위기에서 일을 합시다."

"우리는 다 할 수 있어요. 너무 재미있지 않나요?"

"일하는 것이 재미있어요? 우리 재미있는 대화를 좀 할까요?"


## 7번 유형의 리더가 듣고 싶은 말
{재미를 추구하는 사람}

"팀장님과 일하니 정말 재미있어요. 하루도 웃지 않는 날이 없네요."

"우리팀이 가장 분위기가 좋은 것 같아요. 팀장님 덕분이에요."

"팀장님, 저희 놀러가요. 단합 한번 해야 하지 않나요?"

"제가 만난 사람 중에서 팀장님이 가장 재미있는 것 같아요."

# 7번 유형의 리더가 개선할 점
{재미를 추구하는 사람}

## 과도한 호기심 자제하기

7번 유형 리더는 호기심이 많아서 많은 일들에 관여를 하고 있을 가능성이 크다. 그래서 주변의 여러 가지 일들을 가지고 와 팀원들에게 공유한다. 7번 유형 리더는 열정적인 상태이지만 팀원들은 노동이 늘어나 불편함을 느끼게 된다. 이런 선택을 한 이유는 재미있을 것 같고 팀원들도 좋아할 거라는 잘못된 판단이 섰기 때문이다.

7번 유형 리더는 자신이 재미와 모험에 지나친 호기심을 가지고 있다는 것을 인식해야 한다. 어느 하나에 집중하지 못하고 다른 것에 계속 관심을 가지는 것인데 그런 호기심은 끝이 없어 일의 결말을 좋지 않게 만든다.

## 끝마무리 잘 하기

7번 유형 리더의 처음 보인 흥미와 열정은 쉽게 약해진다. 팀원들은 현재 하고 있는 일을 계속 해야 할지 고민을 하지 않을 수 없게 된다. 팀장이 요즘은 어디에 관심을 가지고 있고, 무엇을 하기 원하는지 눈치를 보게 된다. 어느 날 갑자기 다른 것에 열정을 보이는데, 이전에 하던 일을 제대로 마무리 짓지 않고 넘어갔을 가능성이 크다. 시작한 일은 반드시 끝마무리를 짓고 다음 일로 넘어가자.

## 충동성 줄이고 신중함 키우기

7번 유형 리더는 생각의 전환과 발상의 속도가 매우 빠른 편이다. 떠오르는 것을 바로 실행하게 되는데, 주변에서 볼 때 변덕이 매우 심한 사람이며 충동적인 사람처럼 보인다. 진행 속도를 늦출 필요가 있는데 그 방법은 '신중함'을 키우는 것이다. 자신이 하게 될 모든 결정이 장기적으로 어떤 영향을 미치게 될지 충분히 고려하는 것이 필요하다.

## 부정적 상황 받아들이기

7번 유형 리더는 부정적인 상황을 회피하기 위해서 외부의 활동을 더 많이 늘린다. 그 결과 상황은 점점 바빠지지만 문제는 부정적인 상황을 만든 문제는 여전히 존재한다는 것이다. 부정적인 상황이 발생하면 피하지 말고 직면하는 것이 필요하다. 겉으로는 항상 밝게 보이지만 내부로는 여러 문제를 해결하지 않고 쌓아두는 무책임한 리더가 되어서는 안 된다.

## 비현실적 생각 줄이기

7번 유형 리더는 몽상가적인 모습을 보인다. 자신이 선택한 것은 왠지 다 잘 될 것 같고, 더 많은 일을 하더라도 무리 없이 할 수 있다고 생각한다. 하지만 생각한 대로 항상 다 이루어지는 것은 아니다. 성과를 높이기 위해서는 비현실적인 생각을 줄여야 한다. 그러면 일의 양도 줄어들어 실제 마무리를 짓는 것도 수월해질 것이다.

# ❽
## 8번 유형의 리더십
{강함을 유지하는 사람}

8번 유형 리더는 항상 자신이 강하다는 것을 표현한다. 일을 할 때나 활동을 할 때 앞장을 선다. 어떤 장애물을 만나게 되면 반드시 극복하기 위해서 강하게 싸운다. 자신의 영역 내에 있는 팀원은 반드시 보호를 하며, 팀원의 재능을 끌어내기 위해서 힘든 일도 강하게 시키게 된다. 그때 실제로 초인적인 능력을 보여주는 팀원들이 나오게 된다. 8번 유형의 리더십 때문에 가능한 일이다.

반면 가지고 있는 권한을 남용하는 문제가 나타난다. 다른 사람들에게 지나치게 많은 것, 어려운 것을 기대하고 요구하는 것이다. 속도가 느린 팀원이 있고, 그 팀원 때문에 목표 달성을 하지 못하게 된다면 엄청난 분노를 느껴, 그 팀원을 경멸하거나 무시하는 태도를 보일 수도 있다. 이런 강압적 태도 때문에 팀원들은 점점 눈치를 보게 되니 생산성은 떨어지게 된다.

## 8번 유형의 리더가 자주 사용하는 말

{강함을 유지하는 사람}

"저는 저의 조직을 반드시 보호합니다."

"정한 목표는 반드시 달성할 것입니다."

"다른 목소리를 내는 사람과는 함께 갈 수 없습니다. 지금 바로 나가주세요."

"못한다는 것은 말이 되지 않습니다. 저에겐 불가능은 없습니다."


## 8번 유형의 리더가 듣고 싶은 말

{강함을 유지하는 사람}

"혼자서는 하지 못했을 일을 팀장님과 함께 하니 정말로 해내게 되네요."

"팀장님의 리더십으로 인해서 저희 팀이 1등을 했습니다."

"할 수 있습니다. 그리고 반드시 해내겠습니다."

"될 때까지 하겠습니다."

## 8번 유형의 리더가 개선할 점
{강함을 유지하는 사람}

### 취약한 존재임을 받아들이기

8번 유형 리더는 강함을 유지하고자 한다. 그래서 힘·권위·통제 등에 지나치게 집착하는 모습을 보인다. 8번 유형 리더는 자신이 약해 보이는 것을 회피하려는 특성이 있다는 것을 알아차려야 한다. 리더로서 권력과 통제력을 가지고 있지만 목적을 달성하기 위해서 필요한 것이지 그것을 가지고 휘두르는 것은 옳지 않다.

사람은 누구나 취약한 존재임을 받아들여야 한다. 팀원이 그럴수 있고 자신도 그럴 수 있다. 그런 점들을 감추고 강함을 유지하기 위해 버티는 행동이 바람직하지는 않다. 서로 돕는 협력의 관계를 형성해야 한다. 8번 유형 리더는 자신의 약함이 노출되어도 아무런 일이 일어나지 않는다는 것을 알아야 한다.

### 언성 높이지 않기

8번 유형 리더는 평소에도 목소리가 클 가능성이 크다. 화가 난 상황이 아닌데도 목소리가 커서 누군가와 싸우는 것처럼 보인다. 언성을 높여 자신이 얻고 싶은 것을 얻어낼 수는 있다. 하지만 과연 언성을 높이는 것이 좋은 방법일까? 상대를 공격하는 말투이기 때문에 결국 주변 사람들이 떠나게 된다. 물론 뜻대로 되지 않았으니 언성을 높여 일이 제대로 돌아가게 하려는 의도는 알지만 결과가 좋더라도 그런 리더를 존경하는 팀원은 없다.


## 상대의 말 기다리고 경청하기

8번 유형 리더는 자기주장이 강하고 성격이 급한 편이다. 팀원이 어떤 이야기를 하면 중간에 끼어들어 자신의 주장을 하게 될 가능성이 크다. 팀원은 자신이 하고 싶은 말을 꺼내지 못하게 된다. 리더는 팀원들의 말을 경청해야 하며, 팀원이 고민하는 시간도 기다려 줄 수 있어야 한다.


## 반대되는 의견 받아들이기

8번 유형 리더는 강함을 유지하기 위해서 자신의 의견을 끝까지 주장한다. 상대의 의견이 어떤지는 중요하지 않다. 함께 일을 하는 이유는 협력을 함으로써 더 좋은 결과를 만들기 위한 것인데, 자신과 다른 의견을 제시하는 사람에 대해서 '나를 공격하는 사람', '나를 반대하는 사람'으로 여겨서는 안 된다. 다른 사람들의 의견은 어떤지 알고자 하는 마음으로 임하게 된다면 독단적인 모습이 많이 줄어들게 될 것이다.

## 9번 유형의 리더십
{안정을 추구하는 사람}

9번 유형 리더는 자신의 팀이 항상 안정적으로 운영되기를 원한다. 그래서 자신뿐만 아니라 팀원들 모두가 안정적인 환경에서 일할 수 있도록 만든다. 이것은 9번 유형 리더가 외부의 압력을 강력하게 방어한다는 것이 아닌, 항상 동일한 패턴이 유지되도록 노력한다는 것을 의미한다. 대표적인 방법이 그 누구와도 갈등을 만들지 않는 것이다. 팀원들에게도 어떤 강요를 하거나 특별한 지시를 하지 않는다. 팀에 어떤 특별한 미션을 내리는 일이 없으며 새로운 일을 하겠다고 발표를 하는 경우도 없다.

물론 회사 차원에서 주어지는 미션은 처리를 해야 한다. 이때 일을 빨리 처리하고자 하는 모습보다는 어떤 갈등도 벌어지지 않도록 조용히 진행시킨다.

팀 내 갈등이 벌어지게 되면 그것을 해결하고자 나서지 않는다. 그냥 그 상황을 회피하고 싶어한다. 하지만 갈등을 회피해서는 어떤 답도 얻을 수 없다.

## 9번 유형의 리더가 자주 사용하는 말

{안정을 추구하는 사람}

"서로를 미워하는 말은 하지 않는 게 좋겠어요."

"모두가 만족할 수 있는 팀이 되도록 노력하겠습니다."

"(갈등에 대한 고민을 듣고) 글쎄요. 어떻게 하는 것이 좋을까요?"

"그 문제는 제가 어떻게 해야 할지 모르겠어요."


## 9번 유형의 리더가 듣고 싶은 말

{안정을 추구하는 사람}

"팀장님은 정말 착하신 것 같아요."

"모두 이렇게 하는 것을 좋아할 것 같아요. 다 동의를 했습니다."

"별 탈 없이 지나갔어요."

"저희 모두 착한 사람들만 모인 것 같아요."

# 9번 유형의 리더가 개선할 점

{안정을 추구는 사람}

## 자기 목소리 내기

리더가 되더라도 9번 유형은 주장을 하는 것이 여전히 어렵다. 하는 말을 잘 들어 보면 어떤 지시가 없다는 것을 알게 된다. 팀원들의 의견을 듣더라도 최종적으로 어떤 결정을 내리는 것은 리더의 몫이다. 전체의 의견을 수용하기 위해서는 리더의 결정이 반드시 필요하다. 리더는 전체의 의견에 개입을 하고 나중에 책임도 져야 한다.

## 우선순위 정해 일 처리하기

여러 프로젝트가 한 번에 몰리게 되면 9번 유형 리더는 마비상태가 된다. 어디서부터 일을 처리해나가야 할지 몰라 우왕좌왕한다. 이럴 때는 반드시 체크리스트를 활용하여 일을 처리하는 것이 필요하다. 리더는 팀원들이 무엇을 해야 할지 길잡이 역할을 해줘야 한다. 하지만 9번 유형 리더는 당황스러운 마음을 다스리기 힘들어한다. 우선순위에 따라 위임할 수 있는무엇인지, 나중에 처리해야 하는 일은 무엇인지 팀원들에게 공유해야 한다.

## 명확하게 표현하기

9번 유형 리더는 자신이 책임감을 갖고 결정하는 것을 꺼린다. '나는 이렇게 생각해', '나는 이것이 가장 좋은 방법이라고 생각해' 와 같은 말은 거의 하지 않는다. 이것은 리더로서 좋은 의사소통이 아니다. 명확하고 적극적으로 표현하는 기술을 연마해야 한다. 그동안 하지 않았기 때문에 어색하겠지만 연습을 통해서 충분히 극복할 수 있다.


## 갈등 해결을 위한 사고하기

9번 유형 리더는 그동안 갈등이 벌어지면 일단 무조건 회피했을 가능성이 크다. 갈등 해결을 위한 사고를 하는 것이 매우 어색할 것이다. 이제부터는 회피하지 말고 적극적으로 갈등 해결을 위한 생각에 집중해야 한다. 문제 해결과 관련된 모임이 있다면 기꺼이 참여해야 한다. 머리가 복잡해질 수 있지만 리더는 충분히 갈등의 인과관계를 파악해 분석하고 대처법까지 제시할 수 있어야 한다. 때로는 갈등이 폭발하게 될 수도 있다. 그럴 때는 과감하게 자신이 책임을 지는 것도 필요하다.

# 05_

# 일하는 방식

# 유형별 일하는 스타일

## ❶ 1번 유형의 일하는 스타일
{완벽을 추구하는 사람}

(5장까지 왔으니 이제는 각 유형이 어떤 스타일인지 잘 알 것이다) 1번 유형은 높은 이상을 가지고 있다. 그 이상적인 모습이 되기 위해서 부단히 노력하는데, 그 과정을 보면 원칙을 지키고 자신과 타인을 통제해 완벽을 추구하려고 한다. 책임감도 강해 마무리가 될 때까지 부단히 노력을 한다. 결과물을 만들어내는 1번 유형은 단호한 능력자처럼 보이기도 한다. 항상 체계적으로 관리를 하기 때문에 문제 상황에 직면하게 되도 동일하게 체계적인 방식으로 문제를 해결한다.

문서의 규격화를 중요하게 생각하고, 업무에 대한 것을 상세하게 설명하여 팀원 누구도 업무에 대해서 오해를 하지 않도록 만든다. 공정함과 정의를 높게 평가하여 잘못된 것이 있다면 바로 잡고자 노력한다. 양심적이며 윤리의식도 강해 청렴한 환경에서 일하고자 한다.

하지만 이런 모범적인 특징은 단점으로 작용하기도 하는데, 유연성이 매우 떨어진다는 것이다. 일이란 게 어떻게 항상 원칙이 있다고 할 수 있겠는가. 협업을 할 때 갈등이 벌어지게 되는 경우가 많다. 누군가 융통성을 발휘해 조율을 하자고 말하지만 1번 유형은 그런 조언이 마음에 들지 않는다. 왜냐하면 원칙이 무너지면 모든 것이 무너진다고 생각하기 때문이다. 세세한 것을 지키려고 하다가 큰 것을 놓치는 일이 벌어지기도 한다.

지나친 완벽주의는 다른 사람들을 피곤하게 만든다. 1번 유형의 눈에는 주변 사람들의 잘못된 것들이 잘 보이는데 그것들을 고치려면 세세한 요구를 해야 하며 비판적일 수밖에 없다. 하지만 아무리 좋은 내용일지라도 비판의 말을 좋게 받아들이는 사람은 없다. 업무를 할 때 실수를 용납하지 않아 자신을 포함하여 모두를 긴장하게 만들기도 한다. 강박적인 모습으로 일에 몰두하는 스타일이다.

새로운 일을 갑작스럽게 시작하거나 변화를 수용해야 하는 상황이 벌어진다면 1번 유형은 어려움을 겪는다. 다양한 일을 동시에 진행하는 것이 어렵다. 그래서 혹자는 1번 유형의 일처리 속도가 느리다고 말하기도 한다.

## 잘 맞는 업무

| 특징 | 정확성과 세부사항에 주의를 기울이는 업무 |
|------|------------------------------------------|
| 업무 | 품질 관리, 관리자, 감독, 편집자, 감사원, 연구원 |

## 1번 유형인 나에게 필요한 조언

{완벽을 추구하는 사람}

나만의 원칙과 기준만을 고수하지 말자. 팀원들도 각자 중요하게 생각하는 기준과 원칙이 있다.

유연성을 키우자. 다른 사람들의 의견을 수용할 때 더 좋은 성과로 이어질 수 있다.

지나치게 세세한 부분에 집착하지 말자. 큰 그림을 보지 못하게 된다.

과도한 완벽에 집착하지 말자. 인정과 칭찬을 해야 할 때도 있다.

## 1번 유형의 팀원에게 조언하기

{완벽을 추구하는 사람}

어떤 역할과 업무를 지시할 때는 그것을 왜 해야 하는지 정확히 알려주자. 1번 유형은 업무를 정확하게 파악하기를 원하고, 납득이 되었을 때 움직이는 특성을 가지고 있다.

대충 적당히 하라고 해서는 안 된다. 1번 유형은 우선순위에 맞게 하나하나 질서를 부여하며 일을 처리하고 싶어한다. 그는 자신이 실수를 하는 것을 허용하지 않는다.

일의 속도가 중요하다면 다른 것보다도 속도를 더 높여야 한다는 것을 강조해야 한다. 왜냐하면 1번 유형은 속도보다도 완성과 정확에 더 가치를 두기 때문이다.

융통성이 필요한 상황이라면 분명히 요구를 하자. 1번 유형 팀원은 원칙을 지키며 일하는 것을 원하며 불합리한 방식으로 처리해야 하는 상황이 벌어졌을 때 거부한다. 만약 융통성을 강하게 필요로 하는 것이라면 불합리한 것이 아니라는 것을 알려주어야 한다.

1번 유형의 직원에게 구조화되고 조직화된 환경을 제공하자. 왜냐하면 그는 명확한 역할과 책임이 정의된 환경에서 역량을 발휘하기 때문이다.

## 2번 유형의 일하는 스타일
{도움을 주는 사람}

2번 유형은 일을 할 때에도 다른 이들을 돕고 지원하기를 원한다. 직장 내에서 친절하고 배려심 깊은 사람이라고 할 수 있다. 자신의 일을 하는 것만으로도 바쁠 텐데 그 가운데 타인을 돕는 활동을 한다.

주변 사람들을 돕기 위해서는 그 사람들과 좋은 관계를 유지해야 한다. 그래서 항상 주변 사람들에게 관심을 갖고 그들이 무엇을 필요로 하는지 살펴본다. 지나친 관계중심적인 면 때문에 문제의 핵심을 잘 다루지 못할 때가 많다. 항상 관계에만 관심을 갖기 때문에 일 문제를 다룰 때는 집중이 흐트러지는 모습을 보인다.

자신의 기여에 대해 은근히 인정과 칭찬을 기대하고 있다. 이런 기대를 충족시키기 위해서 봉사를 열심히 하는 이유도 있다.

## 잘 맞는 업무

| 특징 | 고객의 필요와 감정을 이해하고, 만족스러운 해결책을 제공하는 업무 |
|------|--------------------------------------------------------------|
| 업무 | 카운셀러, 사회복지사, 간호사, 교사, 고객 서비스 |

## 2번 유형인 나에게 필요한 조언
{도움을 주는 사람}

지나친 호의를 베풀지 말자. 그것이 때로는 관계를 부담스럽게 만들 수도 있다.

모두와의 관계를 위해 자진하여 일을 도맡아 하고 있는 것은 아닌지 확인하자.

다른 사람들이 도움을 요청하지 않았다면 스스로 할 수 있도록 내버려 두자. 그것이 그들의 성장에 도움이 될 수 있다.

사람들 사이에는 적절한 거리가 필요할 수 있다. 아무에게나 너무 가까이 다가가려고 하지 말자.

피드백을 할 때는 에둘러 표현하지 말고 핵심을 말하자. 부정적인 내용이라도 전할 수 있어야 한다.

업무상 비판이나 부정적인 피드백을 개인적인 감점으로 받아들이지 말자. 객관적인 내용으로 받아들인다면 성장의 기회로 여길 수 있다.

## 2번 유형의 팀원에게 조언하기

{도움을 주는 사람}

도움과 헌신에 대해 고마운 마음을 최대한 직접적으로 표현하자. 그가 좋아하는 내용이 있다면 그것을 기억했다가 전달하자. 자신을 기억하고 있고 인정을 해줬다는 것에 대해서 매우 감동을 할 것이다.

효율적인 업무 처리를 위해서 적정한 경계에 대해 충분한 이야기를 나누는 것이 필요하다. 2번 유형은 사람들 간의 상호작용을 중요하게 생각하기 때문에 상대적으로 일의 효율이 따라오지 못할 가능성이 크다. 일에 집중할 때는 다른 것들을 배제하고 일에만 몰두하는 것도 필요한 기술이라는 것을 알려주자.

주변 사람들에 대한 관심을 줄일 필요가 있다고 조언하자. 2번 유형은 일을 할 때 상황에 대한 눈치가 빠르며, 관계적으로 누구에게 어떤 문제가 발생했고 어떤 갈등이 발생했는지 관심을 갖는다. 이런 모습은 일에 대한 집중이 아닌 주변 사람들에게만 관심을 가지고 있는 것처럼 보일 수 있다. 여기에 거절하지 못하는 성격으로 타부서의 일까지 맡기도 한다. 이것은 함께 일하는 사람들까지도 힘들게 만든다. 주변에 대한 관심은 어느 정도 끊는 연습도 필요하다는 것을 알려주자.

# 3번 유형의 일하는 스타일

{성공지향적인 사람}

3번 유형은 성취와 성공을 중요하게 생각한다. 그래서 높은 목표를 설정하고 그것을 이루기 위해 부단히 노력한다. 당연히 목표지향적일 수밖에 없다. 과정보다는 결과를 위해 열심히 일한다. 성공한 사람이라는 모습을 보여주고 싶어 사람들에게 보여지지 않는 일에는 관심을 갖지 않는다. 결과만 볼 때 3번 유형은 항상 멋진 결과를 만들어내는 사람처럼 보인다. 효율적으로 일하는 사람이며 생산성과 성과가 좋은 편이다. 유능한 사람으로 보여질 수 있는 방법을 잘 알고 있으며, 자신을 마케팅하는 것에도 능하다.

하지만 그 과정 가운데 반드시 주의할 것이 있다. 성공을 위해서 노력하는 모습이 기회주의적인 것처럼 보일 수 있다. 주변 사람들은 3번 유형이 자신을 이용한 것 같다는 부정적인 경험을 느낄 때가 있다.

또한 성공을 하지 않은 상태에서 자신이 성공한 사람처럼 보이기 위해 기만적인 모습을 보이기도 한다. 일을 하는 과정 가운데 꾸준히 '있어 보이는 모습'을 유지한다. 또한 체계적으로 업무를 진행하기보다는 빠른 길을 택하기 때문에 종종 조직의 규칙을 벗어나기도 한다.

## 잘 맞는 업무

| 특징 | 목표를 설정하고 달성하는 직종 |
|------|------------------------------|
| 업무 | 영업, 경영, 마케팅, 판매, 컨설턴트 |

## 3번 유형인 나에게 필요한 조언

{성공지향적인 사람}

일의 결과만 보지 말고 과정도 중요하게 여기자. 왜냐하면 결과만을 위해서 일을 하면 꼼수를 쓰게 되기 때문이다.

함께 수고한 사람들의 노력 과정도 높게 평가하자. 개인의 성공보다 팀의 성공이 더 중요할 수 있다. 다함께 성공하면 그 효과는 훨씬 크며 사람도 잃지 않게 된다.

사람을 만날 때 그들을 성공을 위한 인맥으로 여기지 말자. 그냥 좋은 관계로 지내는 만남도 중요하다.

사람들에게 나의 성공을 보여주려는 집착을 내려놓자. 그것은 내가 중요하게 생각하는 기준이지 다른 사람들은 그렇지 않을 수 있다. 진실된 모습을 좋아하는 사람들이 많다는 것을 기억하자.

감정 사용을 억누르지 말자. 감정적인 모습은 사람에게 매우 자연스러운 현상이다. 또한 그것이 선택을 결정하게 만들기도 한다.

## 3번 유형의 팀원에게 조언하기

일중독자가 되지 않아야 한다는 것을 알려줄 필요가 있다. 일과 삶의 경계가 없이 일중독자처럼 행동해서는 문제가 발생할 수 있다는 것을 알려주어야 한다. 인정을 받기 위해서 번아웃이 올 정도로 일을 하지 않도록 조언해주는 것이 필요하다.

나서서 발언을 할 수 있는 조건을 만들자. 그때 주목을 받으며 자신의 능력을 표현할 수 있도록 하는 것보다 더 동기부여가 되는 것은 없다.

경쟁이 있다는 것을 알려주자. 3번 유형은 그럴 때 자극을 받고 더 좋은 성과를 만들기 위해서 매우 노력을 한다. 성과에 대한 보상까지 명확히 한다면 더욱 몰입할 것이다.

자율적인 상황이라는 것을 알려줄 필요가 있다. 3번 유형은 자율성이 없는 통제된 조건을 불편해한다. 특별히 다른 사람보다 자율성을 많이 부여했다는 것을 알려주는 것이 좋다.

## 4번 유형의 일하는 스타일

4번 유형은 감수성과 창의성이 뛰어나 독특한 시각으로 결과물을 만들어낸다. 그래서 예술적인 결과물을 만들어낼 가능성이 크다. 남들이 생각하지 못한 새로운 아이디어를 내며 기획 또는 예술 분야에서 탁월한 재능을 보여주기도 한다.

다른 유형의 사람들은 4번 유형을 보고 자신만의 독특한 시각과 세계가 있다고 말을 한다. 그 이유는 이들의 감정 사용의 양이 많기 때문이다. 실제로 너무 감정에 사로잡혀 힘들어할 때도 있다. 이런 이유로 사무적인 환경에서는 어려움을 겪는다.

자신이 가치 있다고 생각하는 것에 꽂히게 되면 굉장한 몰입감을 보이며 완성도 높은 결과물을 창출해낸다. 반면에 평범하고 반복적인 업무는 견디지 못하는 모습을 보여준다. 일에서 중요한 의미를 찾지 못하면 업무 의욕을 쉽게 잃을 수 있으며 성과를 내는 과정에서 어떤 문제가 발생했을 때 지나치게 그 문제에 깊이 매몰되기도 한다. 그래서 위계질서나 규율을 지켜야 하는 보수적인 조직에서 견디기 힘들 수 있다.


## 잘 맞는 업무

| 특징 | 창조적이고 개인적인 표현과 창의성을 허용하는 직종 |
|---|---|
| 업무 | 그래픽디자인, 음악가, 작가, 예술가, 심리학자, 디자이너 |

## 4번 유형인 나에게 필요한 조언

{특별함을 원하는 사람}

자신의 감정에 깊게 빠지는 것을 주의하자. 왜냐하면 올바른 판단을 하지 못하게 될 가능성이 크기 때문이다. 부정적인 감정이 떠오르면 내 생각이 아니라고 판단해 떨쳐 버리자.

타인의 감정 표현을 과도하게 받아들이지 말자. 과한 해석은 오해를 하게 만든다.

문제가 발생했다면 그 내용만을 바라보자. 사람에게서 문제를 찾고자 하면 감정 싸움만 된다.

서비스를 제공할 때는 내가 필요하다고 판단하는 관점이 아닌, 타인이 필요로 할 수 있다는 관점에서 판단해 서비스를 제공하자.

사람들이 상처를 입거나 화를 낼까 두려워 부정적인 피드백을 주는 것을 두려워하지 말자. 상대에 대한 긍정적 관심을 유지하는 동시에 객관적인 언어로 피드백을 하면 상대도 건설적인 방식으로 반응할 것이다.


## 4번 유형의 팀원에게 조언하기

{특별함을 원하는 사람}

4번 유형의 창조성과 독특한 아이디어, 감정의 깊이에 대해 관심을 갖고 인정해주는 말을 하자. 4번 유형의 기분이 수시로 바뀌는 것을 알아차리고, 무엇이 영향을 주었는지 솔직하게 이야기를 할 수 있는 분위기를 만들어 주자.

이들의 감정적 민감함은 상상에서 비롯된 오해일 수 있으니 민감하게 받아들이지 말자. 또한 이들이 힘들어 할 때 섣부른 충고나 쉬운 해결책을 제시하는 것을 주의해야 한다. 그런 조언이 그들을 공격하거나 더 감정적인 반응을 하도록 만들 수도 있다.

## 5번 유형의 일하는 스타일
{지식을 추구하는 사람}

5번 유형은 지적 호기심이 많아 질문이 많으며 전문성을 중시한다. 자신의 관심 분야나 전문 분야에 대해 깊이 있는 연구와 분석을 통해 지식을 확장하려고 노력한다. 아는 것이 힘이라고 생각해 정보를 모으고 혼자서 그 지식을 간직할 때 흥분된다.

이들이 질문을 할 때는 논리적으로 말하며 분석적인 내용을 원한다. 사람이 많은 환경보다는 고립된 환경에서 독립적으로 일하는 것을 더 선호한다. 5번 유형은 누군가에게 도움을 요청하는 것도, 누군가가 도움을 요청하는 것도 선호하지 않는다. 스스로의 필요는 혼자의 힘으로 채우려고 한다.

하지만 과도한 고립 때문에 협력과 상호작용이 매우 부족한 편이다. 새로운 관점을 수용할 수 있는 환경이 조성되어야 한다. 연구하는 것과는 반대로 행동을 잘 하지 않는 편이다. 지금의 속도보다 두 배 더 빨리 행동을 취하는 것이 필요하다. 계획과 준비는 열심히 했지만 실행을 해야 할 시점에서 에너지가 부족한 경우가 많다.

## 잘 맞는 업무

| 특징 | 지식적이며 독립적으로 문제를 해결할 수 있는 직종 |
|------|--------------------------------------------------|
| 업무 | 데이터 분석, 연구원, 과학자, 프로그래머, 엔지니어, 분석가, IT, 공학 |

## 5번 유형인 나에게 필요한 조언

{지식을 추구하는 사람}

사람들과 소통을 하는 시간을 갖자. 다양한 분야의 사람들과 어울릴 수 있는 커뮤니티가 필요하다. 잘 선택해서 활동을 시작하자.

감정을 표현하는 시간과 경험을 늘리자. 연습을 통해서 어색함이 사라진다.

내면의 생각을 감추지 말고 생각과 아이디어를 사람들과 나누자. 타인과 서슴없이 아이디어를 공유하자. 그렇지 않으면 주변에서 볼 때 그 어떤 것도 노출하지 않고 거리를 두는 사람으로 생각한다.

도움이 필요할 때는 과감하게 요청하자. 또한 도움을 요청하는 사람이 있다면 적극적으로 도와주자.

아이디어를 떠올리고 계획을 세우며 분석하는 것에만 관심이 머물러 있지는 않은지 생각해 보며, 행동은 언제 할 것인지 데드라인을 정하자.

## 5번 유형의 팀원에게 조언하기
{지식을 추구하는 사람}

사교적인 활동을 늘리자. 감정이 없어 보이는 건조한 모습의 5번 유형에서 벗어날 수 있도록 도와주자.

누군가 질문을 했을 때는 친근하고 답변을 하는 것이 필요하다고 알려주자. 5번 유형이 자세하게 알려주기는 하지만 직설적이고 간결하게 말하는 편이라서 상대가 친절하지 않다고 느낄 수 있다. 본질에서 멀어진 사적인 이야기에도 호응을 해주는 것의 중요성도 알려주자.

속도를 높여야 한다는 것을 알려주자. 실천을 지시했을 때 바로 행동하지 않고 머릿속으로 뭔가 고민하기 때문에 거부하는 사람이라고 생각할 수도 있다. 속도를 높여 상대의 말을 무시하지 않고 있다는 것을 보여주도록 조언을 하자.

독립된 공간이 아니라도 어느 정도는 견뎌야 함을 알려주자. 조용하고 고립된 환경을 선호하기 때문에 칸막이가 있는 책상을 제공하는 것이 좋지만 항상 그런 환경을 만들어줄 수는 없기 때문이다.

## 6번 유형의 일하는 스타일
{안전을 추구하는 사람}

6번 유형은 안전을 중요하게 생각하기 때문에 예기치 않은 위험이 있는 상황은 피하려고 한다. 그래서 매번 신중하고 조심스럽게 일을 처리하는 경향이 있다. 항상 계획을 세우고 예기치 않은 문제에 대비하고자 한다. 미래에 벌어질 일에 대해서 사전에 예측하고 돌발적인 상황이 벌어지는 것을 경계한다. 문제가 발생하기 전에 미리 확인하는 행동 방식을 취하기 때문에 '사전 점검'에 익숙하다. 대비를 했기 때문에 실수가 적은 편이다.

조직에 충성하는 유형이지만 그 조직이 자신의 안위를 보장해줄 수 없다고 판단이 된다면 충성하지 않는다. 자신의 안위가 보장되고 확신이 드는 순간 조직에 충성할 수 있다. 이런 모습은 불안감이 과한 것처럼 보이기도 한다. 그래서 결정을 내리는 것을 매우 힘들어한다. 자신이 결정을 했는데 어떤 문제가 발생하면 그 책임을 감당할 수 없기 때문이다.

불안감이 생기면 과도하게 방어하며 비판적으로 응대를 한다. 불안감이 커져 일어나지도 않은 일에 대해 걱정을 하며, 도전하는 것은 점점 더 어려워진다. 조직 안에서는 자신이 이미 경험한 것만 하려고 한다. 다른 사람들이 보았을 때는 불필요한 걱정을 너무 많이 하는 사람이다.


## 잘 맞는 업무

| 특징 | 체계적이고 세부적인 직무 처리가 필요하며 안정성이 뒷받침되는 직종 |
|------|-----------------------------------------------------------|
| 업무 | 관리자, 회계사, 감사원, 법률가, 의사 |

## 6번 유형인 나에게 필요한 조언

{안전을 추구하는 사람}

긍정적인 시나리오도 가능하다. 이전에는 부정적인 예측을 먼저 했다면 이제는 긍정적인 결과도 고려를 하자.

힘든 위기 상황에서 평온을 유지하자. 안절부절하지 못한 상황에서는 올바른 결정을 할 수 없다.

타인에게 방어적이지 말자. 물론 믿을 수 있다고 생각하는 사람에게는 충실한 모습을 보이지만 그렇지 않은 사람에게는 한없이 방어적이고 여지를 잘 내주지 않는다.

주도적으로 결정하자. 내가 무엇을 어떻게 해야 할지, 나 자신을 신뢰해도 좋은지 끊임없이 다른 사람들에게 묻지 말자.


## 6번 유형의 팀원에게 조언하기

{안전을 추구하는 사람}

6번 유형의 불안과 걱정을 가볍게 여기지 말자. 특히 일을 할 때 이들이 던지는 모든 질문에 대해서 반감을 가지기 보다는 이들의 불안감에 위로를 해주는 것이 좋다.

안심시킬 목적으로 명확한 안내와 지침을 제공하자. 정직하게 모든 내용을 알려주는 것도 좋다. 의심의 여지를 남겨두면 그 의도를 의심하게 된다.

자신이 올바른 길을 가고 있는지 확인할 때 안내를 잘 해주자. 이들은 "이 작업을 완료하기 위해 이런 절차를 따랐고, 이런 결과를 얻었습니다."라는 식의 상세한 보고를 하며 검증을 요구하게 된다. 꼼꼼한 답변을 요구할 때 적절한 답변을 해주는 것이 필요하다.

자신이 책임을 맡는 것보다는 다른 사람들과 협력하여 함께 일처리를 하는 것을 선호한다. 주변에 신뢰할 수 있는 사람들과 함께 일할 수 있도록 해 줄 필요가 있으며, 스스로 책임질 수 있는 능력을 키울 수 있도록 해주면 좋다. 하지만 아주 서서히 시도할 수 있도록 해야 한다. 그렇지 않으면 스트레스를 받고 불안감은 점점 더 커지게 된다.

스트레스를 관리하는 방법을 배우는 것이 필요하다. 요가, 명상, 꾸준한 운동 등이 도움이 될 수 있다.

## 7번 유형의 일하는 스타일
{재미를 추구하는 사람}

7번 유형은 항상 즐겁게 일을 하고자 한다. 또한 항상 새로움을 추구하기 때문에 빠르게 변하는 환경에서도 잘 적응한다. 언제나 새로운 아이디어를 떠올려 실행하고자 하기 때문에 창의적인 방식으로 일을 할 수 있다. 새로운 경험을 하는 것에 대해서도 열려 있는 마음 자세를 가지고 있어 기존의 상식과 고정관념을 깨는 행동을 하는 것처럼 보인다. 반복되는 일상은 피하고자 하는데 그 이유는 지루함을 견디지 못하기 때문이다. 그러다 보니 업무 속도는 빠르지만 실수가 잦고 디테일에 약한 모습을 보인다.

어떤 문제가 발생하면 그것을 해결하고자 할 때 창의적이고 즉흥적인 해결책을 찾으려고 노력한다. 매우 열정적인 사람처럼 보이지만 문제는 처음의 관심과 열정이 뒤로 갈수록 점점 약해진다는 것이다. 그래서 7번 유형은 '마무리가 약하다'라는 수식어가 따라 붙는다. 전문성이 부족하고 책임 회피를 하는 것처럼 오해를 받기도 한다. 최신 트렌드와 고객의 니즈를 잘 파악하며 다양한 업무를 동시다발적으로 처리하는 멀티플레이어이다.

7번 유형은 진지하지 못한 모습을 보인다. 자신이 즐겁게 일하고 있다는 모습을 보여주며 타인에게 주목받고 싶어하는 욕구도 함께 가지고 있다. 어떤 문제가 있거나 안 좋은 결과가 발생하면 그것에 대해 분석과 반성의 시간을 가져야 하는데, 그렇지 않고 바로 다른 일로 옮겨가는 모습을 보인다. 이런 모습은 같은 실수를 또 하게 되는 안타까운 결과로 나타난다.

7번 유형은 조직 내에서 개인주의적인 성향을 강하게 보인다. 즐거운 일이 있다면 혼자 이것저것 일을 벌이고 다닌다. 혼자 계획하고 혼자 저지르고 다니는 스타일이다.


## 잘 맞는 업무

| 특징 | 창의력과 다양성이 중요하게 작용하는 직종 |
|------|------------------------------------------|
| 업무 | 마케터, 판매원, 컨설턴트, 이벤트 플래너, 예술가 |

## 7번 유형인 나에게 필요한 조언

{재미를 추구하는 사람}

---

일의 우선순위를 정하자. 많은 일을 동시에 추진하려고 하지 말고, 중요한 일과 급한 일의 순서를 정하자. 먼저 해야 할 일에 집중한 후 어느 정도 완료되었을 때 다음으로 넘어가자. 나의 산만함이 크게 개선될 수 있다.

---

세부적인 내용을 작성하자. 계획은 잘 짜지만 구체적인 디테일에서 약한 모습을 보인다.

---

열정과 흥분을 가라앉히고 신중한 자세를 취하자. 그러면 그동안 보지 못했던 문제점들을 발견하게 되어 구체적인 계획을 세울 수 있게 될 것이다.

---

팀원들과 이야기를 나눌 때 진지하게 경청하자. 나 자신이 재미있는 사람이 되고자 대화의 주도권을 가져오려고 하지 말자.

---

부정적인 이야기도 경청하자. 팀원들이 나에 대한 불만이나 고충을 털어놓을 때 그런 대화를 회피하지 말고 진지하게 받아들이자.

---

## 7번 유형의 팀원에게 조언하기

{재미를 추구하는 사람}

---

혼자만 말하지 말고 팀 전체가 적절한 말과 행동을 하는 것이 중요하다는 것을 알려주자. 혼자 주목받고자 하는 욕구가 있지만 그것을 불편해하는 사람도 있다는 것을 인식시킬 필요가 있다.

---

너무 새로운 것만 추구하려고 하지 않기를 권하자. 모든 사람들이 새로운 것에 호기심을 갖고 열정을 보이는 것은 아니다.

---

문제가 발생했을 때 회피하려고 하지 말자고 조언을 하자. 문제를 직면하는 것이 불편하겠지만 문제 해결은 반드시 직면을 해야 가능하다는 것을 알려주어야 한다.

때로는 원하는 자율성이 보장되지 않을 수도 있다는 것을 알려주고 받아들일 수 있도록 하자. 자신이 원하는 대로 할 수 없는 상황이 벌어질 수도 있으며, 특히 조직 생활에서는 더욱 그럴 수 있다는 것을 알려주자.

## 8번 유형의 일하는 스타일
{강함을 유지하는 사람}

8번 유형은 자신의 힘과 권력을 활용해 추진력을 발휘하여 주도적으로 일을 한다. 타인을 통제하는 모습이 있는데 이것은 리더에게 중요한 모습이기도 하다. 왜냐하면 어떤 목표를 달성하기 위해서는 강한 통제력이 필요하기 때문이다. 그래서 8번 유형은 성공사례가 많다.

일을 하다가 어떤 제한사항이 생기면 그것을 받아들이기 보다는 직접 통제권과 독립성을 요구해서 극복을 한다. 도전을 할 때 때로는 사사로운 규칙들이 방해가 된다고 생각해 규칙을 바꾸는 것도 과감하게 추진한다. 문제가 발생해도 어떻게 해서든 그 문제를 극복하고 결과물을 만들어낸다.

8번 유형이 만든 성과 이면에 부작용으로 나타난 문제들이 있다. 너무 강압적으로 밀어붙여 불편함을 겪는 주변 사람들이 있다는 것을 부인할 수 없다.

## 잘 맞는 업무

| | |
|---|---|
| 특징 | 강한 리더십과 결단력이 필요한 직종 |
| 업무 | CEO, 경영자, 법률가, 경찰관, 군인 |

## 8번 유형인 나에게 필요한 조언
{강함을 유지하는 사람}

팀원들에게도 권한을 부여하자. 강한 통제력 때문에 팀원들을 수동적으로 만들 가능성이 크다. 또한 팀원들의 이야기를 경청하며 왠만하면 '안 된다'라는 말을 하지 말자.

책임감이 없고 끝까지 일을 마무리하지 못하는 사람에게 관대하자. 그들 모두를 비판하면 함께 일할 수 있는 사람은 점점 사라지게 된다. 공격적으로 반응하는 것도 주의하자. 상대에게 겁을 주는 말과 행동을 삼가자.

약함을 보여주는 것이 문제가 되지 않는다는 것을 받아들일 필요가 있다. 누구에게나 약함이 있는데 그것은 감출 것이 아니라 위로를 받아야 하는 것이다.

결과만 강조하지 말자. 목표 달성을 위해서 과정을 무시한다면 함께 하는 사람들에게는 상처가 될 수 있다. 과정에서 생략된 부분들을 팀원들과 나누는 것도 좋다.

## 8번 유형의 팀원에게 조언하기
{강함을 유지하는 사람}

목소리를 낮추는 것이 필요하다고 알려주자. 8번 유형은 자신의 말과 행동이 타인에게 위압감을 준다는 것을 잘 모른다.

주장이 설득력을 얻으려면 모두의 의견이 어느 정도는 반영되어야 함을 알려주자. 단독적인 주장이 아닌, 협의의 과정이 가치있다는 것을 알려주어야 한다.

'불가능하다'는 표현에 대해서 경청을 하고 공감을 할 수 있어야 함을 알려주자. 8번 유형만 '불가능은 없다'라고 생각해 불가능하다는 의견을 내는 사람들을 이해하지 못한다. 못한다고 하는 사람이 있을 때 그를 무능력자로 보거나 저평가 하지 않도록 주의시켜야 한다.

자신이 권한을 독점할 수 없다는 것을 알려주자. 8번 유형의 팀원은 자신이 독립적으로 결정을 내리고 책임을 질 수 있기를 원하는데, 이때 큰 권한을 주어 그를 독재자로 만들어서는 안 된다.

협력의 중요성을 알려주자. 8번 유형의 팀원은 협력보다는 도전과 경쟁적인 분위기에서 일하는 것을 선호한다. 하지만 조직에서는 그보다 협력을 통해서 결과를 만들어내는 것이 더 바람직하다는 것을 알려주어야 한다.

## 9번 유형의 일하는 스타일
{안정을 추구하는 사람}

9번 유형은 갈등이 일어나지 않는 평화로운 상태를 원한다. 일을 할 때도 자신의 주장을 거의 하지 않고 모든 지침을 따르는 모습을 보인다. 타인의 의견을 존중하고 어떤 강요도 하지 않는다. 대부분의 상황에서 항상 화목하고 조화롭게 지내는 사람들이다. 조직 내부에서도 순응을 잘 하며, 자신이 속해 있는 조직을 위해 자신의 이익도 기꺼이 희생할 수 있다.

변화가 있는 일보다는 반복적인 일에 더 잘 맞는다. 다른 사람들이 지루해 하지 않을 일에 대해서도 불만 없이 지내기 때문에 지구력과 인내심이 높은 것처럼 보이지만 그것은 잘 견디는 것이 아니다. 그냥 편하기 때문에 참는 것처럼 보일 뿐이다.

이들의 갈등을 피하고자 하는 욕구는 문제점을 낳기도 한다. 자신의 주장이 없으니 우유부단한 모습을 자주 보여준다. 또한 시간 약속에서 게으른 모습도 많이 보여준다. 계획을 세워서 일을 하지 않고 미루는 경우도 많다. 그 이유는 자신이 하고 싶은 일이 아니기 때문이다. 많은 사람들이 하고 싶지 않은 일도 책임감을 갖고 진행하지만 9번 유형은 이런 점에서 책임감이 부족한 모습을 보인다. 책임이 막중한 리더의 역할을 맡게 된다면 매우 힘들어하는 것은 당연하다. 심한 내적 갈등을 겪고 난 후에 못하겠다고 통보를 할 것이다.


## 잘 맞는 업무

| 특징 | 책임감을 과하게 요구하지 않으며, 사람들과의 상호작용이 많은 직종 |
|------|----------------------------------------------------------------|
| 업무 | 상담사, 사회복지사, 인간 자원 관리자, 교사, 간호사 |

## 9번 유형인 나에게 필요한 조언

{안정을 추구하는 사람}

지시하는 것을 주저하지 말자. 일을 할 때 지시하는 것은 필수적인 것이지, 절대로 강요를 하거나 강압적인 것이 아니라는 것을 인식하자.

나의 의견을 분명히 표현하자. 말을 하지 않으면 상대는 내가 원하는 것을 알 수 없다. 아무것도 하지 않는 것이 편하지만 그것은 회피를 하는 것이다.

게으른 사람이 아니라는 것을 보여주자. 뭐든지 임박할 때까지 기다리지 말고 먼저 움직이자. 약속 시간에 일찍 도착해 부지런해지는 습관을 만들자.

우선순위를 정해서 일하자. 한꺼번에 일이 몰려 혼란을 느낄 때 포기하지 말고 잠시 마음의 안정을 찾은 후 먼저 할 일과 나중에 할 일을 구분하여 순서대로 처리를 하자.


## 9번 유형의 팀원에게 조언하기

{안정을 추구하는 사람}

의견을 확실히 말할 수 있도록 조언하자. 어떤 불평도 하지 않는다는 것은 아무런 일을 하지 않는 것과 같다는 것도 알려주어야 한다.

갈등이 벌어지면 회피하려고 하지 말고 그 갈등이 왜 발생했는지 문제에 집중하도록 안내하자. 혼자 해결하기 힘들면 주변에 도움을 요청하도록 하자.

늦장을 부리지 않아야 함을 강조하자. 머리속으로만 생각하지 말고 과감하게 일어나 행동하도록 하자.

말을 조리 있고 논리적으로 할 수 있도록 가이드를 제공하자. 육하원칙 방식으로 말을 하거나 두괄식으로 결론을 먼저 말할 수 있도록 알려주자.

# 06_
## 요즘 세대

# 세대 차이

## 맑은 눈의 광인과 그 후배

SNL코리아 시즌3[1]을 보았다면 인기를 얻었던 MZ 오피스의 '맑은 눈의 광인'을 기억할 것이다. 이 캐릭터는 에어팟을 끼고 업무를 하는 MZ 세대를 희화하며 큰 화제가 된 바 있다. 커피를 쏠테니 누가 가서 사오라는 직장 상사의 말에 "저는 안 마셔요."라고 말하면서 자기 일만 하는 MZ 세대의 모습, 셀프로 반찬을 가져와야 하는 회식자리에서 직원들이 서로 눈치를 보다가 결국은 직장 상사가 일어나서 반찬을 가져오는 모습 등 MZ 세대의 특징을 잘 풍자했다. 그런데 여기에서 끝이 아니었다. SNL코리아 시즌4[2]의 MZ 오피스에는 23세의 새로운 캐릭터가 등장했다. 그녀는 '맑은 눈의 광인'의 후배 역할을 했는데, 점입가경으로 에어팟 맥스를 착용하고 업무를 하는 모습을 보여주었다. 업무 중에는 헤드셋을 벗는 게 좋겠다는 선배의 말에 '노래를 듣는 게 아니라 목에 끼고 있는 것'이라

---

[1] 2012년 9월 8일부터 12월 29일까지 tvN에서 방송
[2] 2013년 2월 23일부터 11월 23일까지 tvN에서 방송

고 했으며, 그래야만 패션 능률이 올라가는 편이라는 설명을 덧붙였다.

맑은 눈의 광인과 그의 후배의 답변을 살펴보자.

맑은 눈의 광인(선배가 에어팟을 빼라는 말에 대한 답변)

"음악을 들으며 일해야 업무능력이 올라갑니다."

맑은 눈의 광인의 후배(선배가 헤드셋을 벗으라는 말에 대한 답변)

"패션 능률이 올라갑니다."

이 프로그램이 방영되고 나서 많은 논란이 있었다. 현실에 이러한 캐릭터가 존재할 수도 있지만, 이것이 MZ 세대를 대표하는 이미지라는 것에 동의할 사람은 얼마나 될까.

반대로 기성세대에 대한 이야기를 해보자. 기성세대를 비하하는 표현 가운데 '꼰대'라는 단어가 있다. 권위주의적인 사고방식을 가진 윗사람 또는 연장자를 비하하는 표현인데, 이 또한 기성세대 모두를 꼰대로 일반화하는 것에는 무리가 있다. '맑은 눈의 광인'이나 '꼰대'는 세대를 대표하는 특성이 될 수 없다. 그저 무개념, 무상식, 민폐 캐릭터를 칭하는 것이라고 할 수 있다. 어느 세대든 개념이 없는 사람은 존재하기 마련이다. 소수를 가지고 세대별 이미지로 일반화하는 것은 다양한 세대가 공존하며 함께 성과를 내야하는 직장에서는 바람직하지 않다. 세대별 문제로 여기는 것보다는 각 개인이 가진 의식의 수준과 성숙도의 문제라 보는 편이 맞지 않을까 생각된다. 극소수의 사람을 보고 일반화를 해서는 안 된다. 그런 편견을 가지는 것은 주의를 해야 한다.

## 유형별 MZ 세대의 모습

요즘 직장에서는 MZ 세대의 특성에 대해서 매우 큰 관심을 가지고 있다. 그 이유는 이전 세대와는 확연한 차이를 보이고 있는 MZ 세대를 이해하지 않고서는 안정적인 회사 생활이 불가능해졌기 때문이다. 눈치껏 알아서 하기를 바라는 것도 꼰대가 될 수 있는 상황이기에 MZ 세대의 특성을 조명할 필요가 있으며, 에니어그램이 말하는 각 유형별 MZ 세대의 특징은 갈등을 해결하는데 큰 도움이 될 것이다.

### 1번 유형

본인만의 기준을 갖고 있는 1번 유형은 그 기준에 부합하지 않은 지시를 받게 된다면 따르지 않을 수 있다. 납득이 되지 않아 질문을 하게 되는데 기성세대는 이런 MZ 세대의 질문하는 모습이 당돌해 보여 화가 날 수 있으며 말하기 불편한 유형의 MZ 세대라고 평가하기도 한다. 직장에서 정책, 윤리 지침 및 전문 표준을 엄격하게 준수하는 유형인데, 만약 상사가 사적인 부탁을 하거나 지침에 어긋나는 업무를 부탁한다면 단호하게 거절할 수 있다. 논리적이지 않은 업무지시에 대해서는 의문을 제기할 수도 있다.

> "이 지시는 제가 할 수 없을 것 같아요. 회사의 규정에도 어긋나는 것 같아요. 그래도 해야 한다면 좀 더 구체적으로 그 이유를 설명해주시면 좋겠습니다."

## 2번 유형

이타적인 2번 유형은 기성세대가 보더라도 전혀 불편하지 않은 유형의 MZ 세대다. 부드럽고 친근한 말투와 표정을 짓기 때문에 붙임성 있는 사원이며 싫어할 직장 상사가 거의 없다. 어떤 부탁을 하더라도 잘 수긍을 하기 때문에 "A사원은 요즘 세대 같지 않아서 좋아. 배울 자세가 되어 있어."라는 평가를 받기도 한다. 하지만 너무 자기희생적인 모습이 안타깝다고 말하는 기성세대도 있다.

> "팀장님, 음료 뭐 좋아하세요? 제가 들어갈 때 사가지고 갈게요. 항상 도움을 많이 주셔서 감사해서 그래요. 제가 해야 하거나 고쳐야 할 점이 있다면 말씀해 주세요."

## 3번 유형

효율적인 방법으로 일을 하는 3번 유형은 성과를 내기 위해서 부단히 노력한다. 경쟁을 할 때 부담을 갖지 않는 편이며, 도전적인 프로젝트가 주어져도 적극적으로 참여한다. 성취에 대한 욕구가 커 능력을 인정해 주지 않으면 오래 일하기 어려울 수도 있다. 경쟁심이 강해 기성세대가 봤을 때 기고만장(氣高萬丈)할 수 있다.

"이 일은 제가 잘할 수 있습니다. 저는 최근 프로젝트에서도 큰 성과를 성취했습니다. 이번에도 제가 하게 된다면 우리 부서의 발전에 큰 기여를 하게 될 것입니다."

## 4번 유형

함께 일하는 것보다는 혼자 집중해 개인주의적으로 일하는 것을 선호하는 4번 유형은 자신만의 방식과 공간을 선호한다. 창의적인 일에 흥미를 가지며 반복되는 업무에서는 지루함을 쉽게 느낀다. 갑자기 감정기복의 모습을 보일 때는 기성세대가 특히 더 이해를 하지 못하게 되며, 제멋대로 하는 MZ 세대의 특징이라고 생각해 건드리지 않는다. 때로는 잠수를 타는 모습도 보인다.

"사실 저 매우 힘듭니다. 저는 이렇게 일하는 방식이 이해가 되지 않아요. 자율적이고 독창적인 방식으로 일하고 싶어요. 전 온전히 존중받지 못하고 있어요. 그래서 마음이 힘듭니다. 저를 좀 내버려 두었으면 좋겠어요."

## 5번 유형

깊게 파고드는 5번 유형은 전문가적인 모습을 보인다. 매우 열심히 공부하는 편이며, 궁금한 것이 있을 때는 기성세대에게도 곧잘 질문한다. 그 질문은 핵심 원리를 파고드는 내용이 많아 기성세대가 답을 알지 못하고 있을 가능성이 있다. 같은 5번의 기성세대는 자신과 비슷한 생각을 하고 있는 점이 마음에 들어 서로 깊은 지식의 대화를 나눌 수 있다. 근거가 명확하지 않은 것에 대해서는 의문을 가지며 행동으로 옮기지 못한다. 주변으로부터 방해받지 않고 집중할 수 있는 조용한 공간을 선호한다.

"제가 궁금한 점이 있는데요. 지금 문제의 본질에 대해서 서로 다른 이야기를 하고 있습니다. 지금 이 일을 하는 이유는 문제가 발생했기 때문이라고 했는데요. 그 문제와 이 계획에 어떤 연결점이 있는 거에요?"

## 6번 유형

준비를 많이 하는 6번 유형은 구체적인 내용이 나오지 않으면 준비를 제대로 할 수 없어 불안해한다. 준비할 내용이 정해지면 그 누구보다도 준비를 잘 하지만 준비를 많이 하는 것에 비해서 실행은 잘 하지 못한다. 기성세대가 봤을 때 안절부절 못하는 것처럼 보이기 때문에 자신감이 부족한 편견을 갖게 한다. 어떤 결정을 할 때도 계속적으로 선배에게 와서 자신이 해도 될지 물어보는데 이런 점 때문에 귀찮지만 실수는 적은 편이다.

## 7번 유형

새로운 생각을 계속 떠올리는 7번 유형은 항상 즐거워 보인다. 지금 하고 있는 일 외에 다른 것들을 수시로 이야기하는데 열정적으로 보이기도 하지만 산만해 보이는 것도 사실이다. 한 가지에 집중하면 좋겠는데 그렇지 않고 재미있는 것만 하고 싶어하는 모습이 가득하다. 또한 하던 일을 완벽하게 마무리하지 않고 다른 일을 벌이니 뭔가를 맡겼을 때 제대로 할지 걱정이 된다. 하던 일이 재미없으면 갑자기 그만두겠다고 할 수도 있다.

## 8번 유형

강한 모습을 보여주는 8번 유형은 흔들리지 않는 자신감을 보여준다. 하고자 하는 일이 있다면 반드시 실행하는 추진력을 가지고 있다. 자신의 방식대로 일을 진행하고자 하는 욕구가 때때로 공격성으로 나타날 수 있다. 이러한 단호함이 선배 세대의 눈에는 그들과 거리를 두고 싶은 마음을 만들 수 있다. 다른 사람들이 불가능하다고 할 때 자신만 된다고 강하게 주장을 하니 모두들 8번 유형의 MZ 세대에 대해서 소통이 잘 안 되는 후배라고 인식하기도 한다.

---

"이것이 왜 안 됩니까? 제가 해보겠습니다. 안 된다고 하는 것은 나약한 생각입니다. 저에게는 안 되는 것이 없습니다. 제가 하겠다고 할 때 방해하지만 않는다면 전 반드시 결과물을 만들어내겠습니다."

---

## 9번 유형

갈등을 회피하는 것으로 알려진 9번 유형은 주변 사람들과 조화롭게 지내는 것처럼 보인다. 하지만 자기 주장이 없기 때문에 자신의 소신을 밝힐 때 답답한 모습을 보여준다. 회사에서 점점 역할을 찾아 그에 맞는 주장을 펼쳐야 할 때 어려움을 겪게 된다. 직장에서 선배 세대가 볼 때 9번 유형의 수동적인 모습은 신뢰하기 어렵다. 주도성이 부족하고 책임을 지려는 의지가 없기 때문에 뭔가를 맡기기 어렵다는 판단을 할 수 있는 것이다. 그래서 9번 유형의 MZ 세대를 보고 "요즘 MZ 세대는 스스로 할 줄 몰라. 책임감도 없고 너무 수동적이야."라고 평가하기도 한다.

세대별 차이는 존재한다. BC 1,700년경 수메르 점토판 문자나 이집트 벽화에서도 '요즘 애들은 버릇이 없다'라는 이야기가 적혀 있다는 것을 보면 어느 세대에서나 차이와 갈등이 있다는 것을 알 수 있다. 인간은 환경에 영향을 받기 때문에 세대별로 경험하게 되는 사회·문화적 특수성이 인간의 성격에도 영향을 미치는 것은 당연하다.

매우 자연스러운 특징이다. 하지만 타고난 인간의 고유한 특징이 변한다고는 할 수 없다. 동일한 부모에게서 태어나 양육을 받아 자란 쌍둥이도 서로 성격이 다른 것처럼, 세대별 공통 특징이 있다고 하더라도 개개인이 다르다는 것은 부인할 수 없다. 기질, 성격, 인격 등의 단어를 사용해 그 특징을 추가적으로 표현하는 것이 필요하다. 시대가 요구하는 것, 시대가 바라보는 것은 달라질 수 있지만 인간이 가진 고유한 본질은 달라지지 않는다. 그래서 에니어그램이 말하는 고유한 특성을 아는 것의 중요성은 또 강조해도 지나치지 않는다. 세대별 갈등을 논하기 전에 더 중요하게 볼 것은 결국 '인간에 대한 이해'이다.

에니어그램은 성격을 단서로 자신이 어디에 집착하고 있는지 알아차릴 수 있게 도와준다. 참 자아인 '본질'을 찾는 과정이라고도 말하는데, 그것은 집착을 하고 있는 성격에서 벗어나 진정한 성격적 자유로움을 누리는 것이다. 살아 남기 위해서, 자신을 보호하기 위해서 뒤집어 쓴 성격의 가면에서 벗어나야 한다. 먼저 자신이 쓴 가면을 알아차리는 것이 필요하고, 이어서 그 가면을 벗는 노력이 필요하다.

에니어그램을 알게 되면 모든 인간에 대한 애처로움과 연민을 느끼게 된다. 스스로 알지 못하는 가면을 쓰고 기계적으로 움직이고 있기 때문이다. 이 책에서 다룬 에니어그램의 지혜를 통해 서로에 대한 깊은 이해로 건강하고 안전한 관계를 만들기 바라며, 더 나아가서는 당신의 팀을 훌륭한 원팀으로 만들기를 응원한다.

# 팀코드
## 최고의 팀을 만들기 위한 에니어그램 전략

**초판발행**  2024년 4월 15일

**지은이**  김진태, 전은지, 한보라, 이성옥
**펴낸이**  Leo Kim
**펴낸곳**  brainLEO

**등록**  2016년 1월 8일 제2016-000009호
**주소**  서울시 양천구 중앙로 324, 203호
**전화**  02) 2070-8400
**이메일**  jint98@naver.com
**ISBN**  979-11-978560-7-5 (13320)